사고력을 키우는
팩토
연산

P03
작은 수의 뺄셈

매스티안

구성과 특징

1주 연산 원리 학습

붙임 딱지 등의 활동으로
연산 원리를 재미있게 체득

2주 연산 응용 학습

연산 원리를 응용한 문제를
풀어 보며 문제해결력 신장

+

정답

아이와 자연스럽게 학습을 시작할 수
있도록 스토리텔링 방식 도입

아이들이 배우는 연산 원리에 대한
학습가이드 제시

연산 실력 체크 진단 + 보충 온라인 보충 학습   온라인 활동지

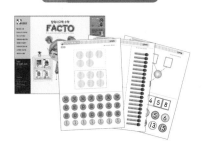

2~4주차 사고력 연산을
학습하기 전에 연산 실력 체크

매스티안 홈페이지에서 제공하는
보충 학습으로 연산 원리 다지기

매스티안 홈페이지에서 제공하는
활동지로 사고력 연산 이해도 향상

4주 사고력 학습 2

연산 원리를 바탕으로 한 사고력 연산
문제를 풀어 보며 수학적 사고력과 창의력 향상

3주 사고력 학습 1

연산 원리를 바탕으로 한 사고력 연산
문제를 풀어 보며 수학적 사고력과 창의력 향상

·3, 4주차 1일 학습 흐름·

 →  → 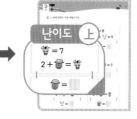 →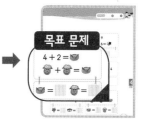

특정 주제를 쉬운 문제부터 목표 문제까지 차근차근
학습할 수 있도록 설계 되어 있어 자기주도학습 가능

★★ App Game 팩토 연산 SPEED UP

앱스토어에서 무료로 다운받은
팩토 연산 SPEED UP으로 덧셈, 뺄셈,
곱셈, 나눗셈의 연산 속도와 정확성 향상

★★ 부록 칭찬 붙임 딱지, 상장

학습 동기 부여를 위한
칭찬 붙임 딱지와 연산왕 상장

사고력을 키우는 **팩토 연산 시리즈**

P03 작은 수의 뺄셈 목차

P03권에서는 한 자리 수의 뺄셈을 학습합니다.
뺄셈의 기초가 되는 수 가르기 모형을 통하여 '−, =' 기호가 있는 뺄셈식과 뺄셈의 과정을 이해한 후, 5 이하의 뺄셈에서 9 이하의 뺄셈으로 수의 범위를 확장합니다. 이때 빼기의 2가지 방법인 지워서 빼기와 비교하여 빼기가 사용됩니다. 두 수의 차가 클 때(예 8-1, 7-2)는 지워서 빼기를 사용하고, 두 수의 차가 작을 때(예 8-7, 7-5)는 비교하여 빼기를 사용하는 것이 효율적이라는 것을 알 수 있게 합니다.

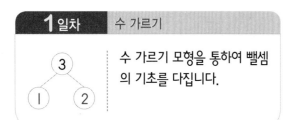

1일차 수 가르기

수 가르기 모형을 통하여 뺄셈의 기초를 다집니다.

2일차 뺄셈식과 수 가르기

4 − 3 = 1

수 가르기 모형을 −, = 기호가 있는 뺄셈식으로 표현하고 계산합니다.

학습관리표

일 자			소요 시간	틀린 문항 수	확인
❶ 일차	월	일	:		
❷ 일차	월	일	:		
❸ 일차	월	일	:		
❹ 일차	월	일	:		
❺ 일차	월	일	:		

3일차	5 이하의 수에서 빼기
$5-2=\boxed{3}$	5 이하의 수에서 지워서 빼는 방법으로 뺄셈을 합니다.

4일차	지우는 방법으로 빼기
$9-2=\boxed{7}$	두 수의 차가 큰 경우에는 지워서 빼는 방법으로 뺄셈을 합니다.

5일차	비교하는 방법으로 빼기
$9-7=\boxed{2}$	두 수의 차가 작은 경우에는 비교하여 빼는 방법으로 뺄셈을 합니다.

연산 실력 체크
1주차 학습에 이어 2, 3, 4주차 학습을 원활히 하기 위하여 연산 실력 체크를 합니다. 연습이 더 필요할 경우에는 매스티안 홈페이지의 보충 학습을 풀어 봅니다.

① 주

수 가르기

🌷 개미집에 개미를 알맞은 수만큼 붙이고, ▨ 안에 수를 써넣으시오.

준비물 ▶ 붙임 딱지

2 **4** **5** **3**

1

1

1

1   *1*

2

1   3

3

○를 그리며 주어진 수를 두 수로 갈라 보시오.

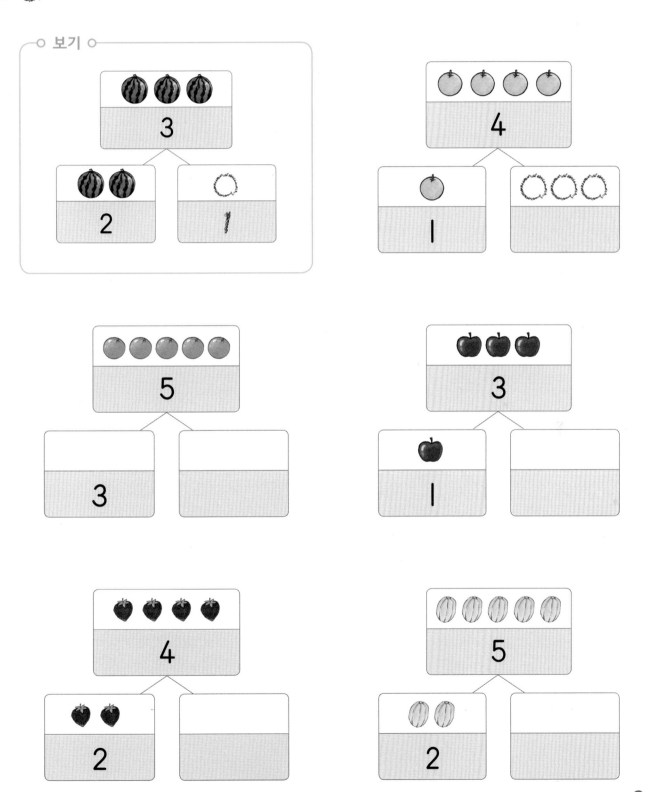

● ●를 나누며 주어진 수를 두 수로 갈라 보시오.

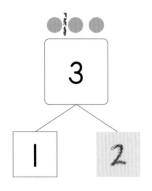

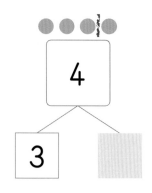

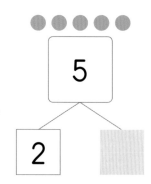

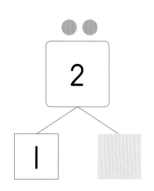

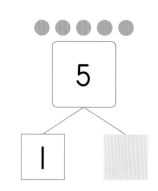

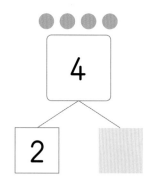

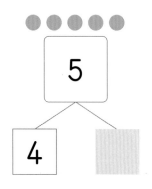

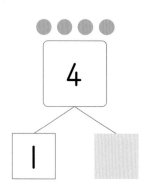

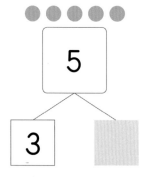

1
P03

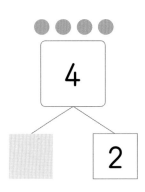

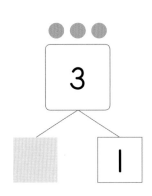

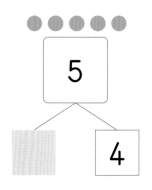

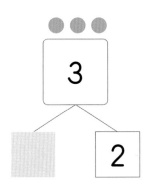

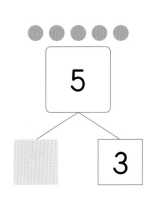

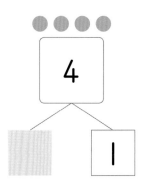

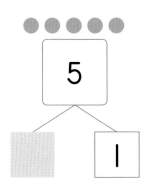

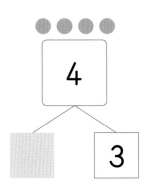

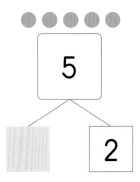

🌱 두 수로 갈라 보시오.

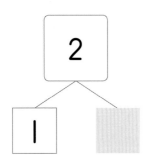
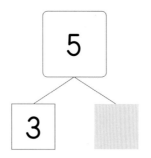
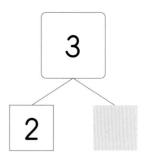

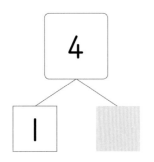
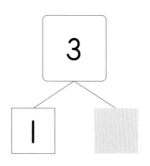
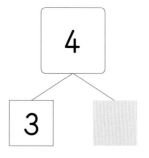

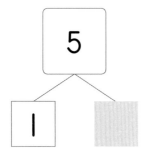
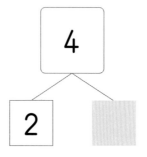
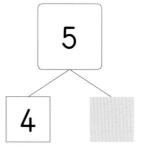

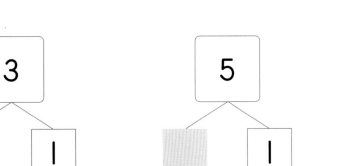

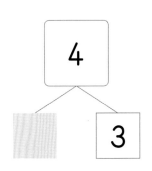

3 — □ 1

5 — □ 1

4 — □ 3

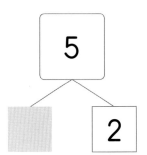

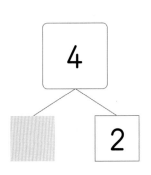

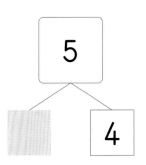

5 — □ 2

4 — □ 2

5 — □ 4

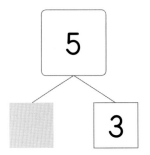

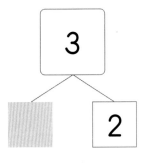

5 — □ 3

3 — □ 2

4 — □ 1

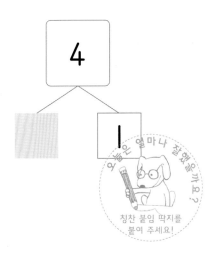

오늘은 얼마나 잘했을까요?
칭찬 붙임 딱지를
붙여 주세요!

뺄셈식과 수 가르기

🌷 나뭇잎, 토끼, 오리를 붙이며 뺄셈을 하시오.

$3 - 1 = \boxed{}$

$4 - 3 = \boxed{}$

$5 - 2 = \boxed{}$

🌼 ◯를 그리며 두 수로 갈라 뺄셈을 하시오.

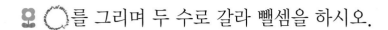

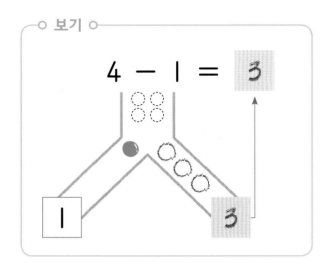

4 − 1 = 3

1

3

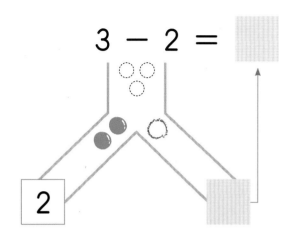

3 − 2 =

2

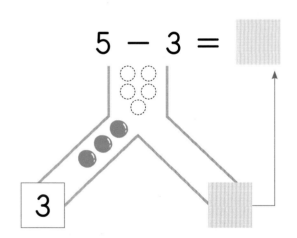

5 − 3 =

3

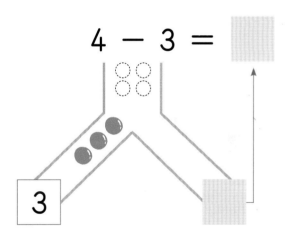

4 − 3 =

3

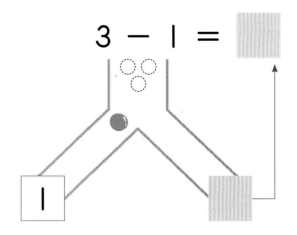

3 − 1 =

1

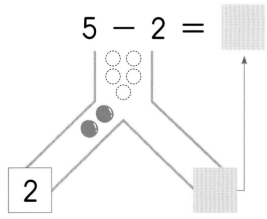

5 − 2 =

2

앞의 수를 갈라 뺄셈을 하시오.

$$4 - 3 = \boxed{1}$$

3 ⌐ ①

$$3 - 1 = \boxed{}$$

1 ⌐ ②

$$2 - 1 = \boxed{}$$

1

$$5 - 2 = \boxed{}$$

2

$$5 - 4 = \boxed{}$$

4

$$4 - 2 = \boxed{}$$

2

$$3 - 2 = \boxed{}$$

$$4 - 1 = \boxed{}$$

$$5 - 3 = \boxed{}$$

$$5 - 1 = \boxed{}$$

$2 - 1 = $

$5 - 3 = $

$5 - 4 = $

$4 - 1 = $

$4 - 3 = $

$5 - 2 = $

$5 - 1 = $

$3 - 2 = $

$4 - 2 = $

$3 - 1 = $

📍 뺄셈을 하시오.

$3 - 1 =$

$4 - 3 =$

$5 - 2 =$

$2 - 1 =$

$4 - 1 =$

$5 - 2 =$

$3 - 2 =$

$4 - 2 =$

$4 - 3 =$

$5 - 3 =$

$5 - 1 =$

$5 - 4 =$

2 − 1 =

3 − 1 =

5 − 4 =

3 − 2 =

5 − 1 =

4 − 2 =

5 − 3 =

4 − 3 =

4 − 1 =

5 − 2 =

4 − 3 =

5 − 4 =

5 이하의 수에서 빼기

🌷 🐟 와 🍎 붙임 딱지를 붙이며 뺄셈을 하시오.

준비물 ▶ 붙임 딱지

1개 먹기

3개 먹기

3 − 1 = ☐

4 − 3 = ☐

3개 먹기

1개 먹기

5 − 3 = ☐

5 − 1 = ☐

로 지우며 뺄셈을 하시오.

보기

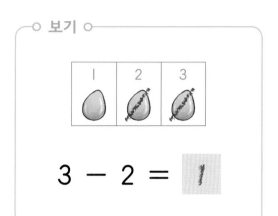

$3 - 2 = $ 1

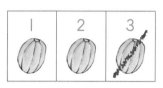

$3 - 1 = $

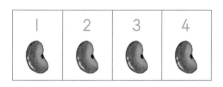

$4 - 2 = $

$4 - 3 = $

$5 - 4 = $

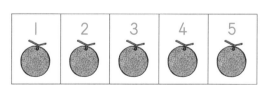

$5 - 2 = $

3 일차

오 ●를 지우며 뺄셈을 하시오.

$4 - 1 = \boxed{3}$

$5 - 3 = \boxed{}$

$3 - 1 = \boxed{}$

$4 - 2 = \boxed{}$

$5 - 2 = \boxed{}$

$2 - 1 = \boxed{}$

$4 - 3 = \boxed{}$

$5 - 4 = \boxed{}$

$5 - 1 = \boxed{}$

$5 - 3 = \boxed{}$

● ● ●
3 − 1 =

● ● ● ● ●
5 − 2 =

● ● ● ●
4 − 2 =

● ●
2 − 1 =

● ● ● ●
4 − 1 =

● ● ●
3 − 2 =

● ● ● ● ●
5 − 3 =

● ● ● ● ●
5 − 1 =

● ● ● ●
4 − 3 =

● ● ● ● ●
5 − 4 =

🌱 뺄셈을 하시오.

$4 - 2 =$ 　　　　　　　$2 - 1 =$

$3 - 1 =$ 　　　　　　　$5 - 3 =$

$3 - 2 =$ 　　　　　　　$4 - 1 =$

$5 - 2 =$ 　　　　　　　$5 - 1 =$

$4 - 3 =$ 　　　　　　　$5 - 2 =$

$5 - 4 =$ 　　　　　　　$4 - 2 =$

4 − 1 =   3 − 2 =

5 − 3 =   4 − 3 =

2 − 1 =   5 − 1 =

5 − 4 =   5 − 2 =

3 − 1 =   4 − 1 =

4 − 2 =   5 − 3 =

지우는 방법으로 빼기

🌱 놀라서 도망간 두더지의 자리에 흙구덩이를 붙이며 뺄셈을 하시오.

준비물 ▶ 붙임 딱지

1마리 도망감

$$4 - 1 = \boxed{}$$

2마리 도망감

$$6 - 2 = \boxed{}$$

3마리 도망감

$$8 - 3 = \boxed{}$$

 로 지우며 뺄셈을 하시오.

○ 보기 ○

4 − 2 = 2

5 − 1 =

6 − 3 =

7 − 2 =

8 − 4 =

9 − 4 =

오 ●를 지우며 뺄셈을 하시오.

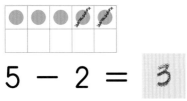

$5 - 2 =$ 3

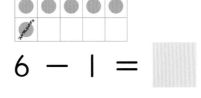

$6 - 1 =$

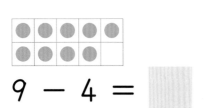

$4 - 1 =$

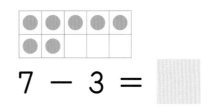

$7 - 3 =$

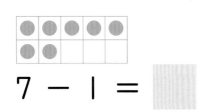

$9 - 4 =$

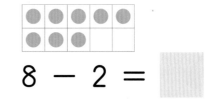

$8 - 2 =$

$7 - 1 =$

$5 - 1 =$

$9 - 3 =$

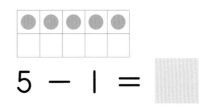

$7 - 2 =$

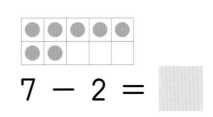

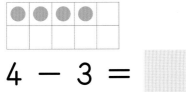

4 − 3 =

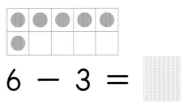

6 − 3 =

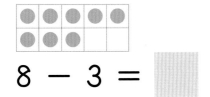

9 − 2 =

8 − 1 =

8 − 3 =

5 − 2 =

6 − 2 =

5 − 3 =

9 − 1 =

8 − 4 =

일차

😊 뺄셈을 하시오.

$3 - 1 = $

$4 - 3 = $

$7 - 3 = $

$6 - 1 = $

$8 - 2 = $

$9 - 3 = $

$5 - 3 = $

$8 - 1 = $

$9 - 2 = $

$6 - 3 = $

$8 - 4 = $

$9 - 1 = $

$7 - 2 = \boxed{}$ $8 - 4 = \boxed{}$

$6 - 1 = \boxed{}$ $3 - 2 = \boxed{}$

$5 - 2 = \boxed{}$ $7 - 1 = \boxed{}$

$6 - 2 = \boxed{}$ $8 - 3 = \boxed{}$

$9 - 3 = \boxed{}$ $4 - 1 = \boxed{}$

$8 - 2 = \boxed{}$ $9 - 4 = \boxed{}$

비교하는 방법으로 빼기

🌷 빨간색 구슬이 몇 개 더 많은지 표 안에 구슬을 붙이며 두 구슬의 개수를 비교하여 구하시오.

준비물 ▶ 붙임 딱지

	1	2	3	4	5
빨간색 구슬	●	●	●	●	●
파란색 구슬					

5 − 4 =

	1	2	3	4	5
빨간색 구슬	●	●	●	●	●
초록색 구슬					

5 − 2 =

🌼 빨간색 구슬이 몇 개 더 많은지 두 구슬의 개수를 비교하여 구하시오.

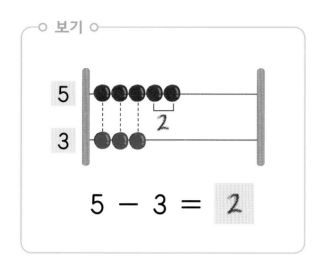

보기

$$5 - 3 = 2$$

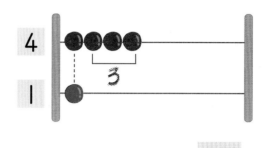

$$4 - 1 =$$

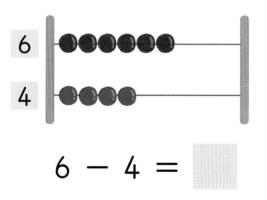

$$6 - 4 =$$

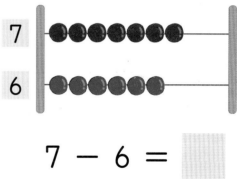

$$7 - 6 =$$

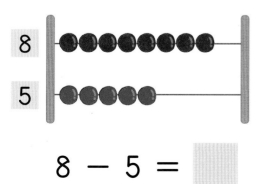

$$8 - 5 =$$

$$9 - 7 =$$

⚡ ☐의 개수를 비교하며 뺄셈을 하시오.

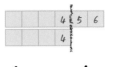

6 − 4 = 2

|2|3|
|2|

3 − 2 = ☐

|3|4|
|3|

4 − 3 = ☐

|3|4|5|
|3|

5 − 3 = ☐

7 − 4 = ☐

8 − 5 = ☐

9 − 7 = ☐

7 − 6 = ☐

6 − 3 = ☐

9 − 8 = ☐

4 − 2 =

6 − 5 =

8 − 7 =

5 − 2 =

7 − 5 =

8 − 6 =

5 − 4 =

3 − 1 =

7 − 4 =

9 − 6 =

❂ 뺄셈을 하시오.

$$3 - 1 = \boxed{}$$

$$5 - 3 = \boxed{}$$

$$4 - 2 = \boxed{}$$

$$7 - 4 = \boxed{}$$

$$5 - 4 = \boxed{}$$

$$6 - 3 = \boxed{}$$

$$8 - 5 = \boxed{}$$

$$4 - 3 = \boxed{}$$

$$6 - 4 = \boxed{}$$

$$9 - 6 = \boxed{}$$

$$8 - 4 = \boxed{}$$

$$7 - 5 = \boxed{}$$

$4 - 2 = $ ⬚

$3 - 2 = $ ⬚

$6 - 5 = $ ⬚

$9 - 7 = $ ⬚

$5 - 2 = $ ⬚

$9 - 5 = $ ⬚

$9 - 8 = $ ⬚

$8 - 6 = $ ⬚

$7 - 4 = $ ⬚

$5 - 2 = $ ⬚

$7 - 5 = $ ⬚

$8 - 7 = $ ⬚

오늘은 얼마나 잘했을까요?
칭찬 붙임 딱지를
붙여 주세요!

연산 실력 체크

정답 수	/ 40개
날 짜	월 일

🐸 2~4주 사고력 연산을 학습하기 전에 기본 연산 실력을 점검해 보세요.

1. $2 - 1 =$

2. $7 - 5 =$

3. $6 - 2 =$

4. $4 - 3 =$

5. $9 - 1 =$

6. $8 - 4 =$

7. $6 - 5 =$

8. $9 - 2 =$

9. $7 - 1 =$

10. $5 - 3 =$

11. $8 - 2 =$

12. $9 - 6 =$

13. $4 - 2 =$

14. $8 - 7 =$

15. $5 - 3 =$

16. $3 - 2 =$

17. $7 - 3 =$

18. $6 - 4 =$

19. $8 - 5 =$

20. $7 - 6 =$

21. $8 - 3 =$

22. $5 - 2 =$

23. $6 - 3 =$

24. $9 - 4 =$

25. $7 - 2 =$

26. $8 - 1 =$

27. $3 - 2 =$

28. $9 - 8 =$

29. $6 - 1 =$

30. $5 - 4 =$

31. $9 - 5 =$

32. $3 - 1 =$

33. $6 - 3 =$

34. $8 - 6 =$

35. $7 - 4 =$

36. $4 - 1 =$

37. $5 - 1 =$

39. $6 - 2 =$

38. $9 - 7 =$

40. $9 - 4 =$

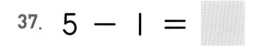

연산 실력 분석

오답 수에 맞게 학습을 진행하시기 바랍니다.

평가	오답 수	학습 방법
최고예요	0 ~ 2개	전반적으로 학습 내용에 대해 정확히 이해하고 있으며 매우 우수합니다. 기본 연산 문제를 자신 있게 풀 수 있는 실력을 갖추었으므로 이제는 사고력을 향상시킬 차례입니다. 2주차부터 차근차근 학습을 진행해 보세요. 학습 [2주차] → [3주차] → [4주차]
잘했어요	3 ~ 4개	기본 연산 문제를 전반적으로 잘 이해하고 풀었지만 약간의 실수가 있는 것 같습니다. 틀린 문제를 다시 한 번 풀어 보고, 문제를 차근차근 푸는 습관을 갖도록 노력해 보세요. 매스티안 홈페이지에서 제공하는 보충 학습으로 연산 실력을 향상시킨 후 2, 3, 4주차 학습을 진행해 주세요. 학습 [틀린 문제 복습] → [보충 학습] → [2주차] → …
노력해요	5개 이상	개념을 정확하게 이해하고 있지 않아 연산을 하는데 어려움이 있습니다. 개념을 이해하고 연산 문제를 반복해서 연습해 보세요. 매스티안 홈페이지에서 제공하는 보충 학습이 연산 실력을 향상시키는데 도움이 될 것입니다. 여러분도 곧 연산왕이 될 수 있습니다. 조금만 힘을 내 주세요. 학습 [1주차 원리 중심 복습] → [보충 학습] → [2주차] → …

매스티안 홈페이지 : www.mathtian.com

학습관리표

일 자			소요 시간	틀린 문항 수	확인
❶ 일차	월	일	:		
❷ 일차	월	일	:		
❸ 일차	월	일	:		
❹ 일차	월	일	:		
❺ 일차	월	일	:		

2 주

사다리 셈

🌷 사다리타기를 하여 ▨ 안에 알맞은 수를 써넣으시오.

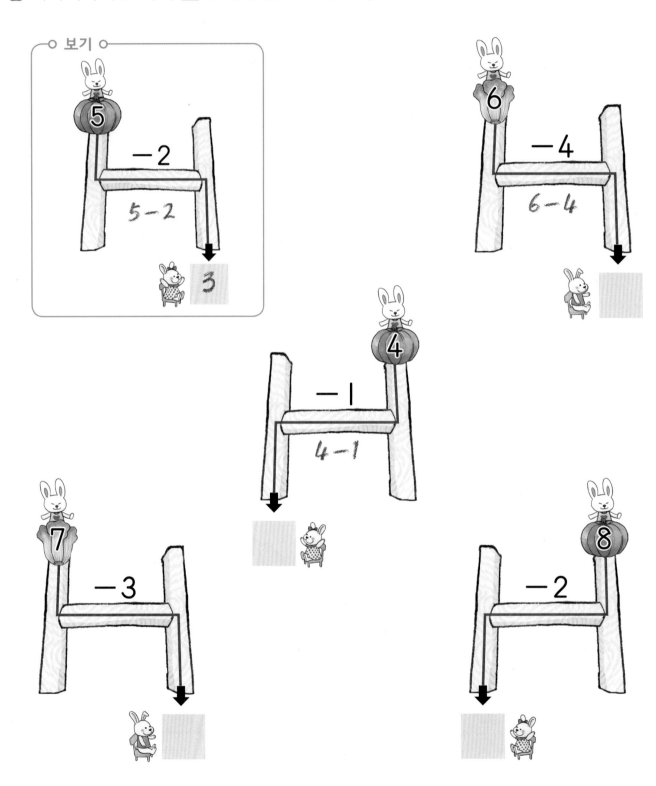

보기

5
−2
5−2
3

6
−4
6−4

4
−1
4−1

7
−3

8
−2

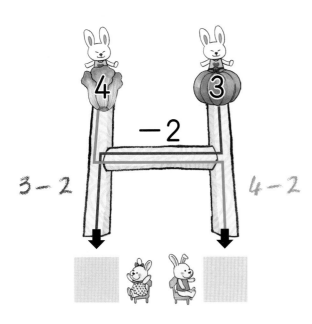

$3-2$

$4-2$

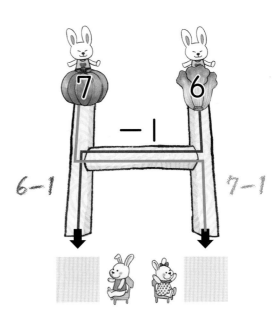

$6-1$

$7-1$

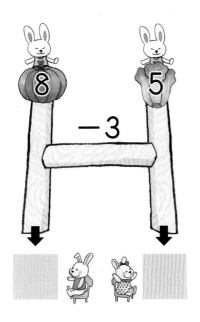

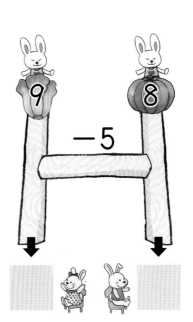

😊 사다리타기를 하여 ▨ 안에 알맞은 수를 써넣으시오.

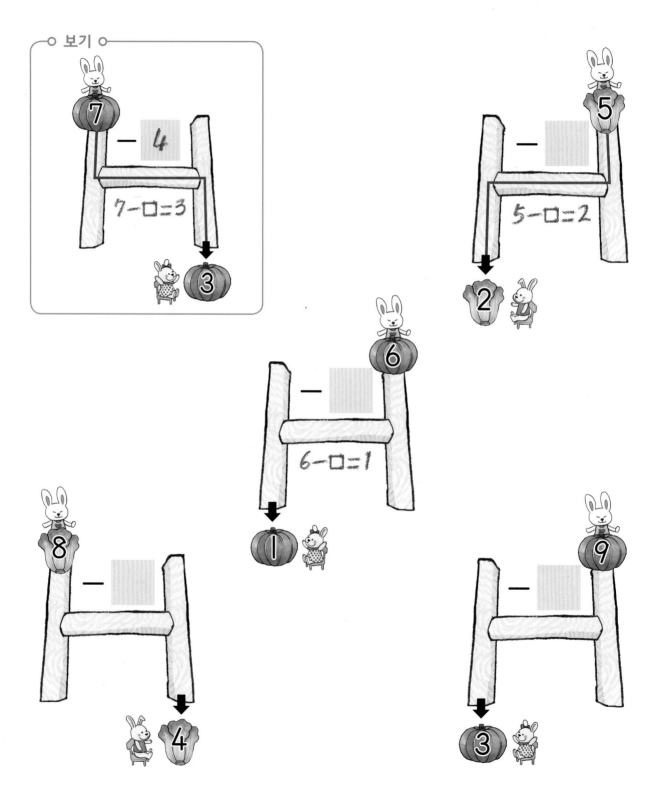

보기

$7 - 4$

$7 - \square = 3$

3

$5 - \square = 2$

2

$6 - \square = 1$

1

$8 - $

4

$9 - $

3

빼셈을 하여 계산한 값과 같은 길을 따라 선으로 그어 보시오.

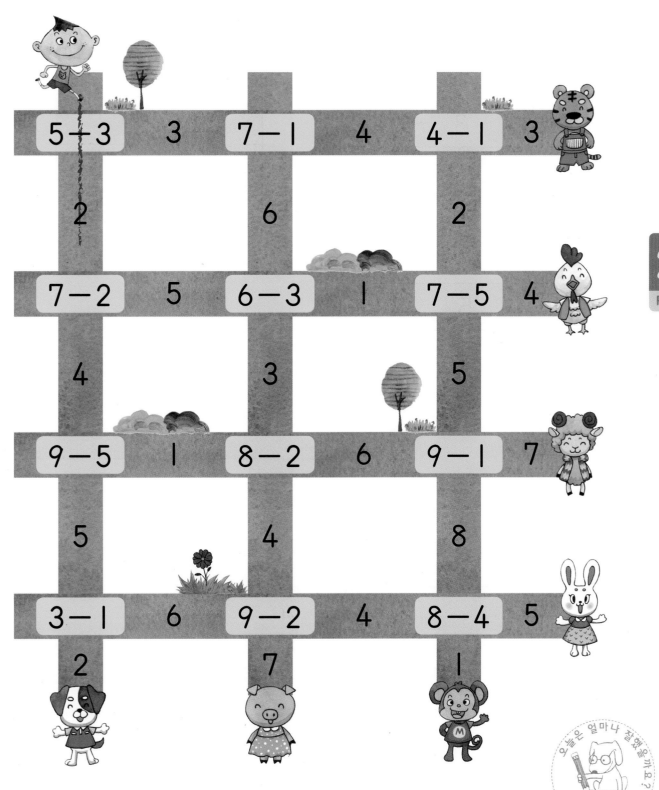

5 − 3	3	7 − 1	4	4 − 1	3
2		6		2	
7 − 2	5	6 − 3	1	7 − 5	4
4		3		5	
9 − 5	1	8 − 2	6	9 − 1	7
5		4		8	
3 − 1	6	9 − 2	4	8 − 4	5
2		7		1	

2 일차

측정 셈

🌷 안에 알맞은 수를 써넣으시오.

┌─○ 보기 ○─┐

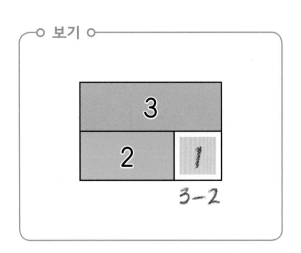

3 - 2

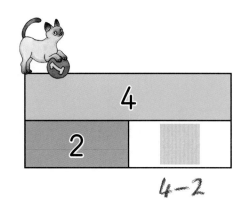

4 - 2

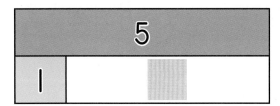

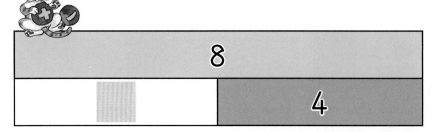

⚬ 양팔 저울이 수평을 이루도록 🥫 안에 알맞은 수를 써넣으시오.

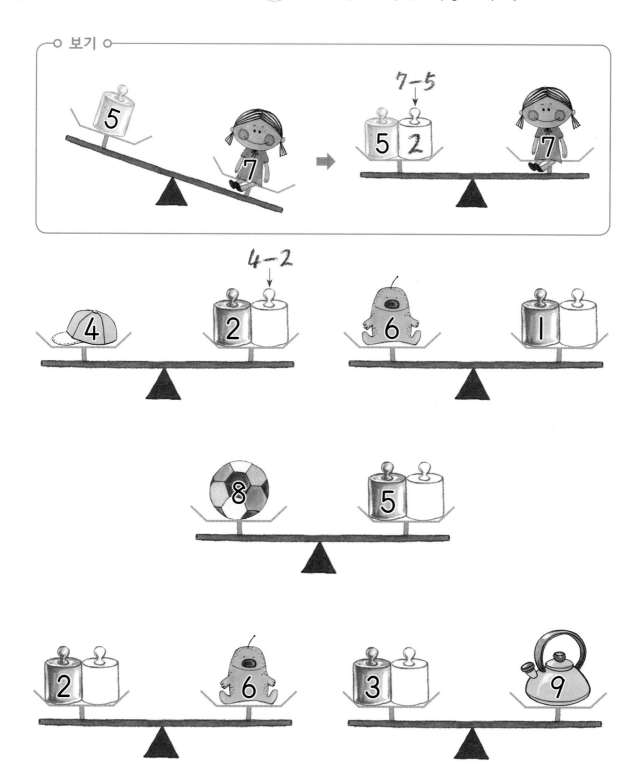

오 ▨ 안에 알맞은 수를 써넣으시오.

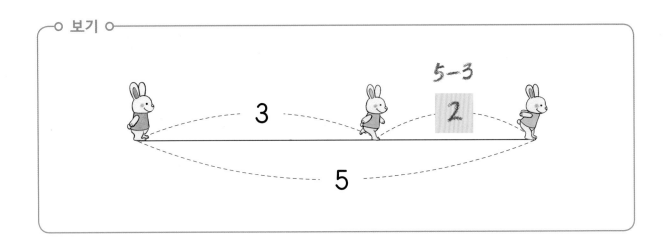

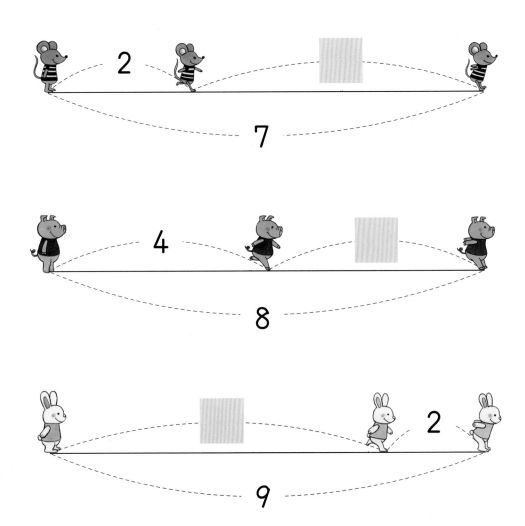

화살표를 따라 계산하고 계산한 값의 순서대로 점을 이어 보시오.

시작 → | 1−1 | → | 7−2 | → | 9−0 | → | 6−2 |

→ | 8−1 | → | 9−3 | → | 4−3 | → | 8−5 |

→ | 9−1 | → | 6−4 | → 끝

3 일차

뺄셈 로봇

🌷 뺄셈 로봇이 미로를 통과했을 때의 결과를 빈 곳에 써넣으시오.

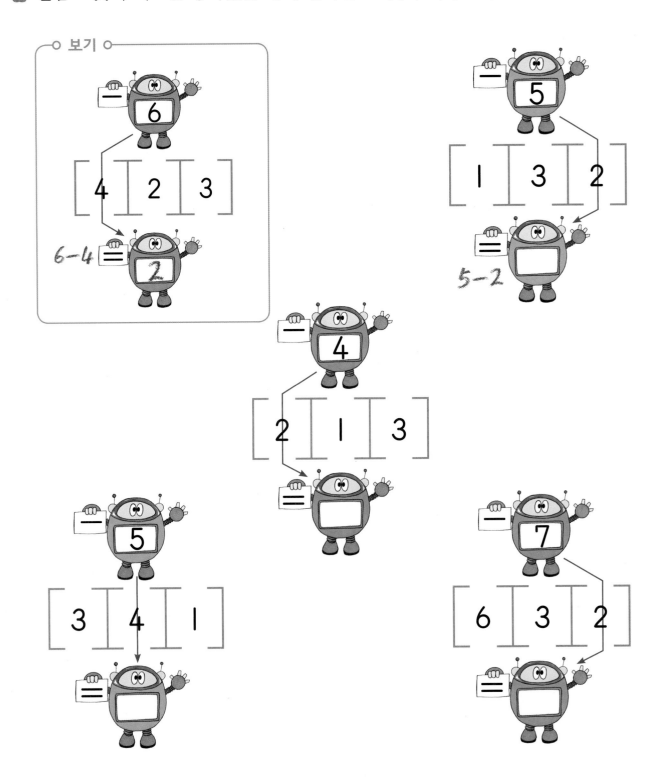

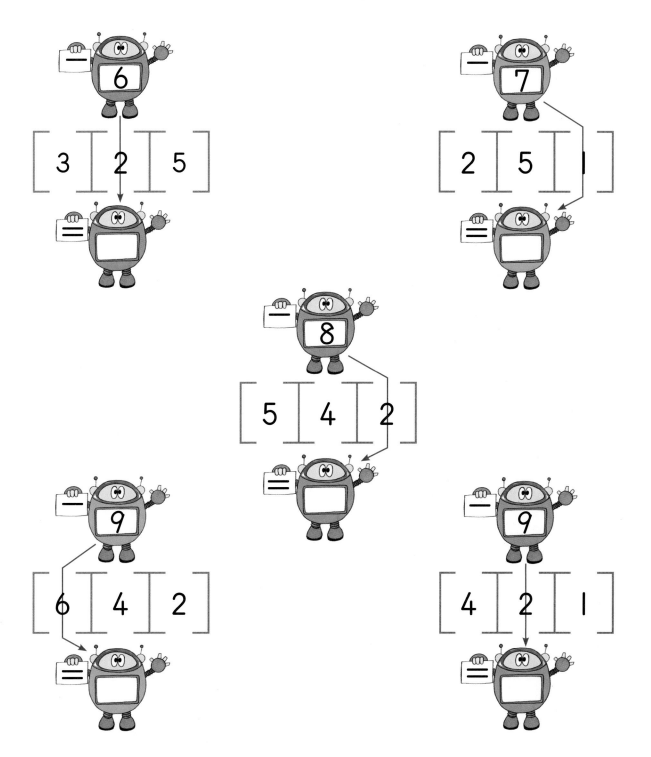

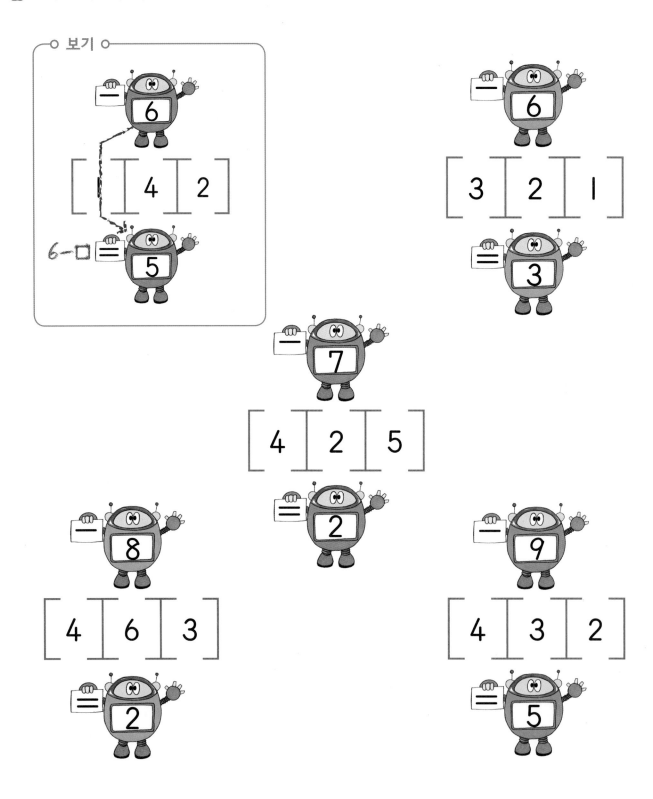

빼셈 로봇이 미로를 통과한 길을 표시하시오.

💡 계산한 값에 해당하는 글자를 써넣으시오.

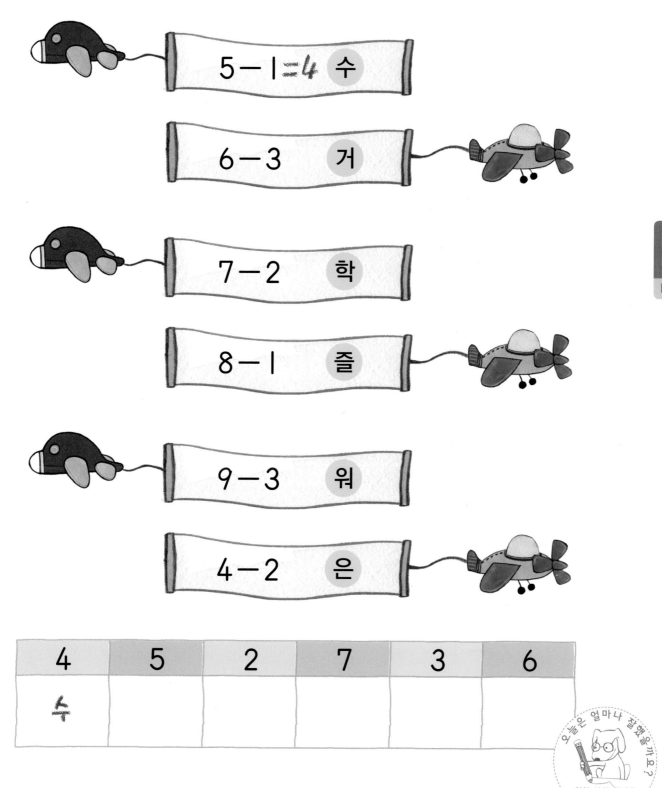

5 - 1 = 4 수

6 - 3 거

7 - 2 학

8 - 1 즐

9 - 3 워

4 - 2 은

4	5	2	7	3	6
수					

2

P03

수 상자 셈

🌷 ⬤ 안에 알맞은 수를 써넣으시오.

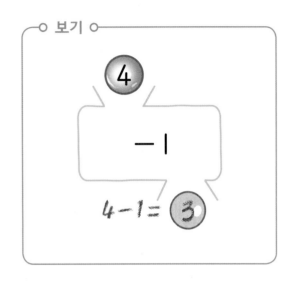

보기

4

−1

4−1= 3

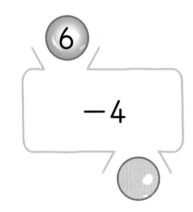

6

−4

5

−2

6

−1

8

−2

빈 곳에 알맞은 수를 써넣으시오.

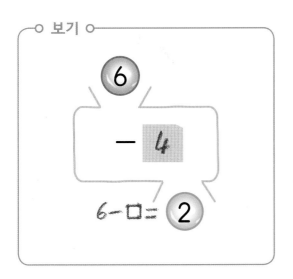

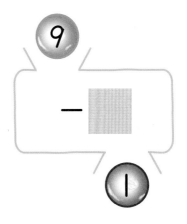

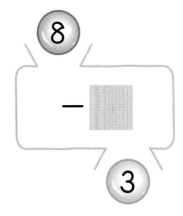

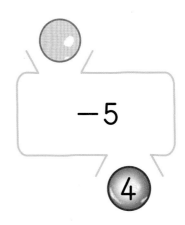

오 ◯ 안에 알맞은 수를 써넣으시오.

보기

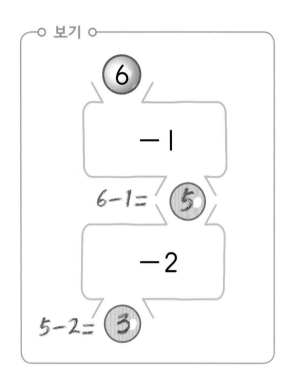

6

-1

$6-1=$ 5

-2

$5-2=$ 3

7

-4

◯

-1

◯

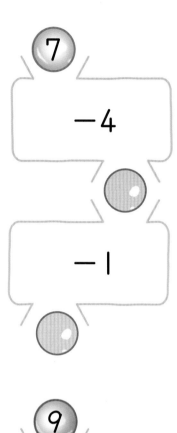

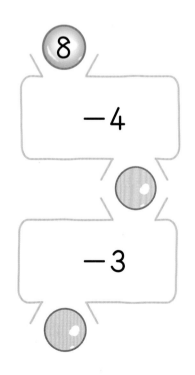

8

-4

◯

-3

◯

9

-2

◯

-5

◯

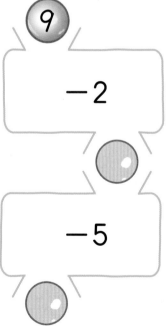

🌸 뺄셈을 하여 관계있는 것끼리 연결하시오.

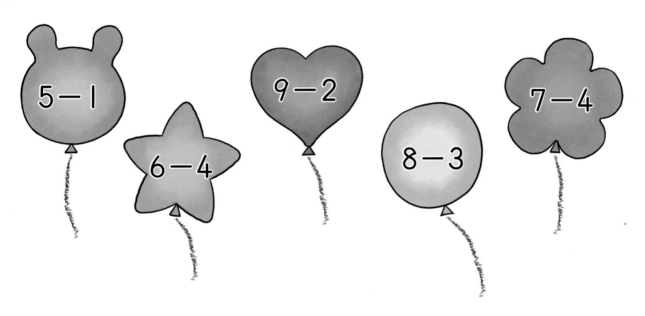

5 - 1   6 - 4   9 - 2   8 - 3   7 - 4

2   4   5   3   7

규칙 셈

🌷 규칙을 찾아 ▨ 안에 알맞은 수를 써넣으시오.

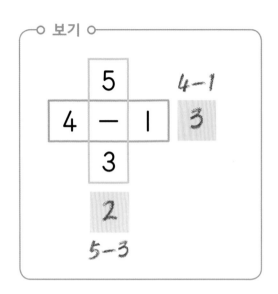

보기

```
      5
  4 — 1    4-1
      3    3
```
2
5-3

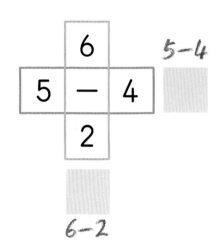

```
      6
  5 — 4    5-4
      2
```
6-2

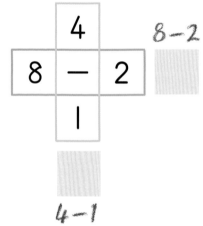

```
      4
  8 — 2    8-2
      1
```
4-1

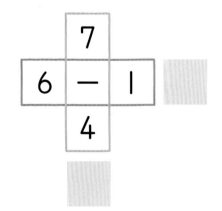

```
      7
  6 — 1
      4
```

```
      9
  8 — 4
      2
```

규칙을 찾아 ▨ 안에 알맞은 수를 써넣으시오.

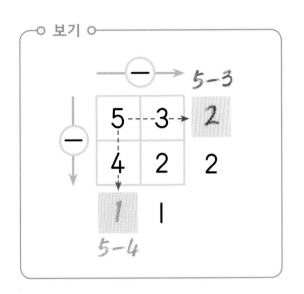

보기

5-3

5 - 3 → **2**

4   2   2

1 |

5-4

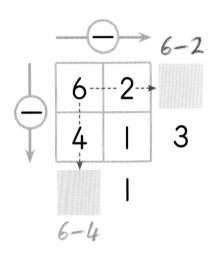

6-2

6 - 2 →

4 | 3

|

6-4

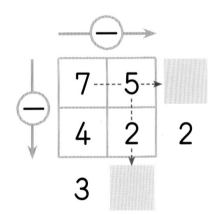

7 - 5 →

4   2   2

3

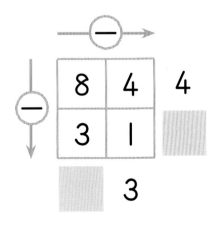

8   4   4

3 |

3

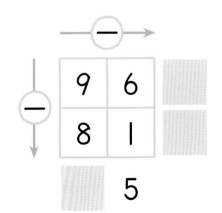

9   6

8 |

5

규칙을 찾아 ▨ 안에 알맞은 수를 써넣으시오.

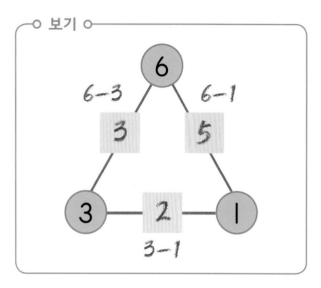

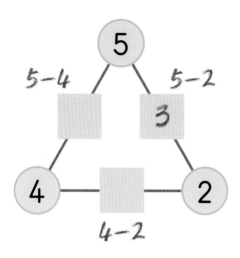

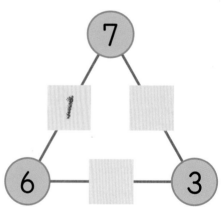

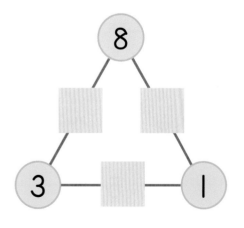

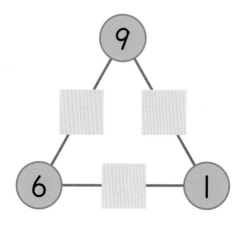

🌷 표에서 계산한 값의 색깔을 찾아 알맞게 색칠해 보시오.

1	3	4	7	5	6
⚪	⚫	⚫	⚫	⚫	⚫

학습관리표

일 자			소요 시간	틀린 문항 수	확인
❶ 일차	월	일	:		
❷ 일차	월	일	:		
❸ 일차	월	일	:		
❹ 일차	월	일	:		
❺ 일차	월	일	:		

3 주

차가 같은 수

🌷 두 수의 차가 주어진 수가 되도록 우리를 나누어 보시오.

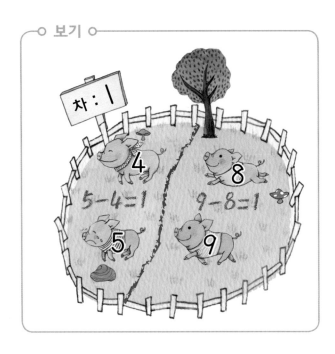
보기

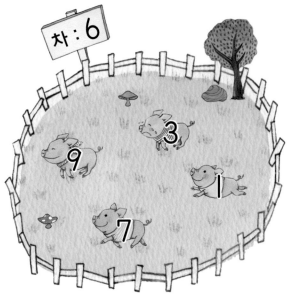

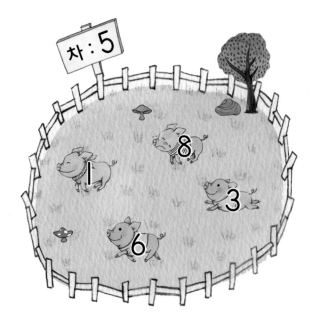

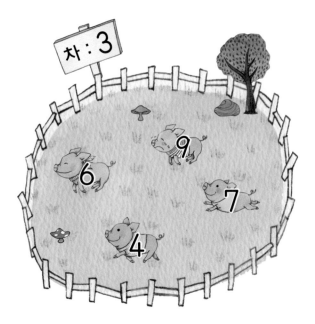

😀 두 수의 차가 주어진 수가 되도록 다음 모양으로 묶어보시오.

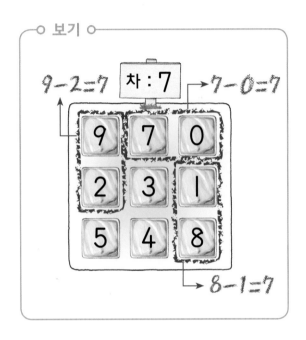

모양 :

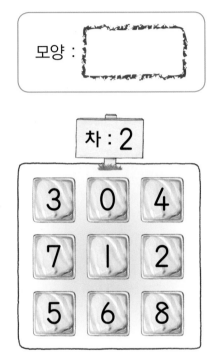

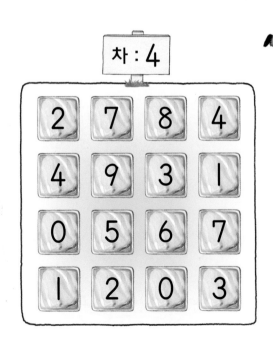

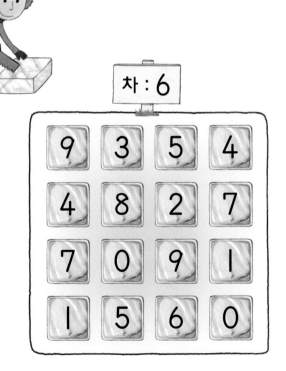

모양 : ▱

차 : 3

7 9 6 2 4
4 5 7 3 1
9 8 5

차 : 5

6 2 3 8 2
1 3 6 4 9
5 2 7

3
P03

2 길 퍼즐

일차

🌷 올바른 뺄셈식이 되도록 선을 그어 보시오.

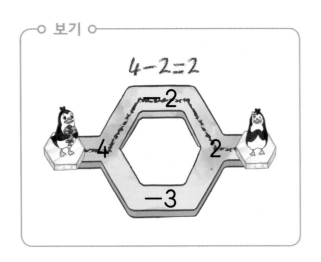

보기

$$4-2=2$$

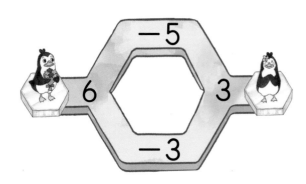

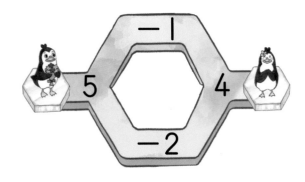

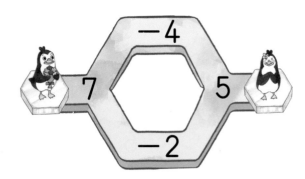

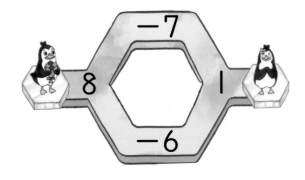

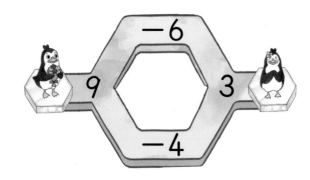

3

P03

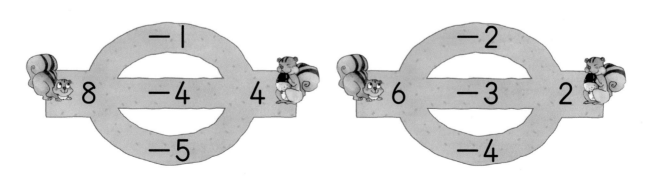

올바른 뺄셈식이 되도록 선으로 연결하고, 식으로 나타내시오.

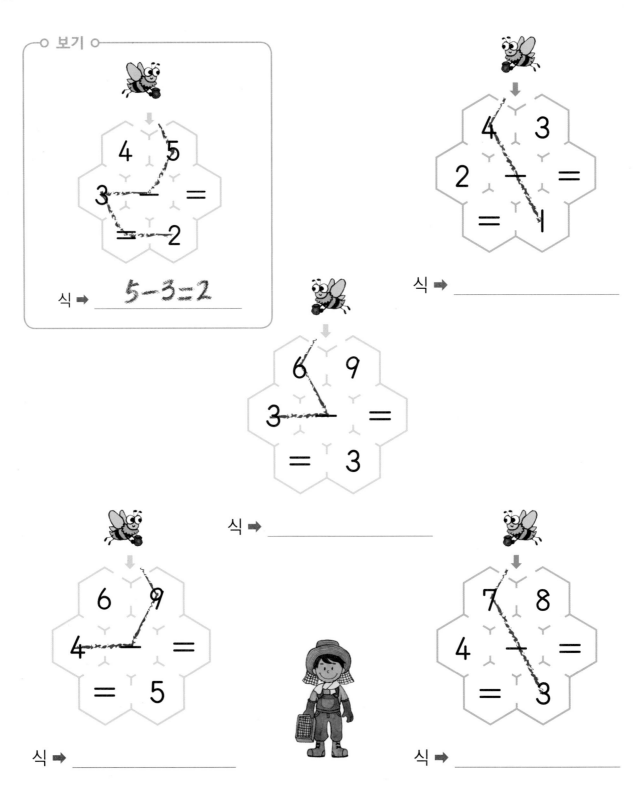

○ 보기 ○

4   5

3   =

=   2

식 ➡ 5-3=2

4   3

2   —   =

=   1

식 ➡ _____

6   9

3   =

=   3

식 ➡ _____

6   9

4   =

=   5

식 ➡ _____

7   8

4   —   =

=   3

식 ➡ _____

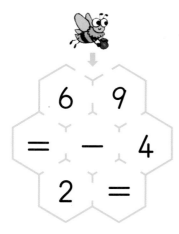

6　9
=　−　4
2　=

식 ➡ _____

3　7
=　−　2
5　=

식 ➡ _____

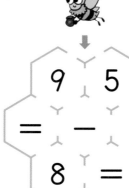

9　5
=　−　1
8　=

식 ➡ _____

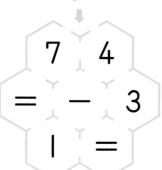

7　4
=　−　3
1　=

식 ➡ _____

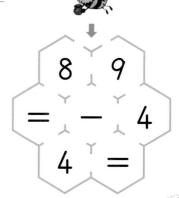

8　9
=　−　4
4　=

식 ➡ _____

화살표 약속

❣ 화살표 약속에 따라 ▨ 안에 알맞은 수를 써넣으시오.

화살표 약속

▲ → 2 작은 수
● → 1 작은 수

$$7 \xrightarrow{-1} ● \quad 6 \xrightarrow{-2} ▲ \quad \boxed{}$$

$$5 \xrightarrow{-2} ▲ \quad \boxed{} \xrightarrow{} ● \quad \boxed{}$$

화살표 약속

■ → 1 작은 수
▲ → 3 작은 수

$$7 \xrightarrow{-3} ▲ \quad 4 \xrightarrow{-1} ■ \quad \boxed{}$$

$$\boxed{} \xrightarrow{} ■ \quad 5 \xrightarrow{} ▲ \quad \boxed{}$$

화살표 약속

● → 2 작은 수
▲ → 3 작은 수

$$\boxed{} \xrightarrow{-2} ● \quad 6 \xrightarrow{-2} ● \quad 4$$

$$\boxed{} \xrightarrow{} ● \quad \boxed{} \xrightarrow{} ▲ \quad 2$$

화살표 약속

▲ → 3 작은 수

■ → 1 작은 수

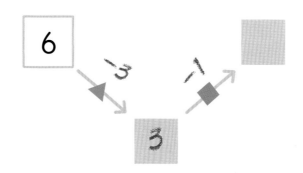

화살표 약속

▲ → 5 작은 수

● → 1 작은 수

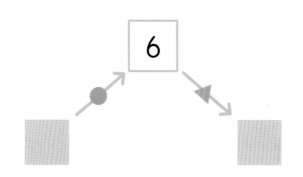

화살표 약속

■ → 4 작은 수

▲ → 3 작은 수

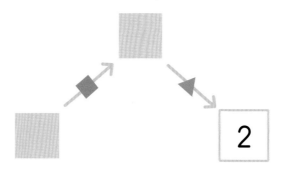

👤 화살표 약속을 찾아 ▨ 안에 알맞은 수를 써넣으시오.

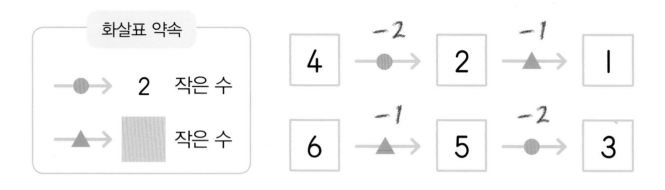

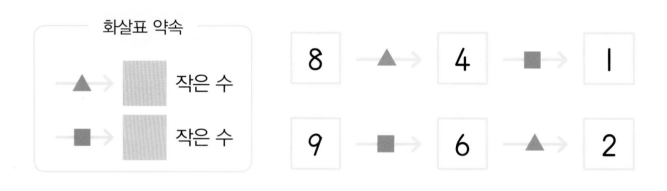

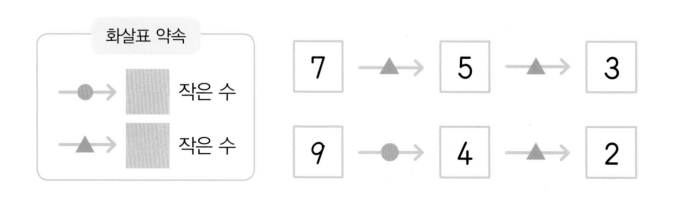

공부한 날   월   일

💡 화살표 위에 알맞은 도형을 그려 넣으시오.

화살표 약속

●━━▶ l 작은 수

▲━━▶ 3 작은 수

5

8   4

화살표 약속

▲━━▶ 4 작은 수

■━━▶ 2 작은 수

7   l

3

화살표 약속

●━━▶ 6 작은 수

▲━━▶ l 작은 수

3

9   2

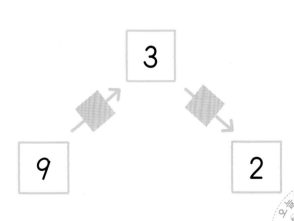

오늘은 얼마나 잘했을까요?
칭찬 붙임 딱지를
붙여 주세요!

4

투탕카멘 게임

🌷 규칙을 찾아 🔺 안에 알맞은 수를 써넣으시오.

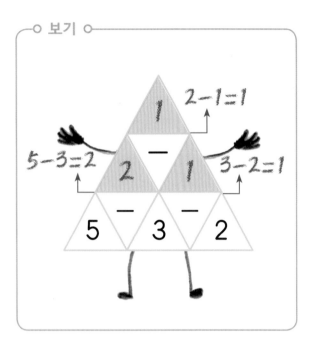

보기

$2-1=1$

$5-3=2$

$3-2=1$

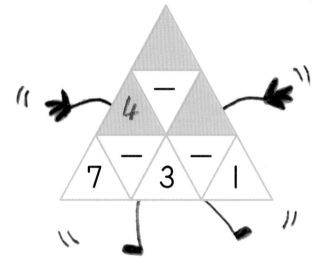

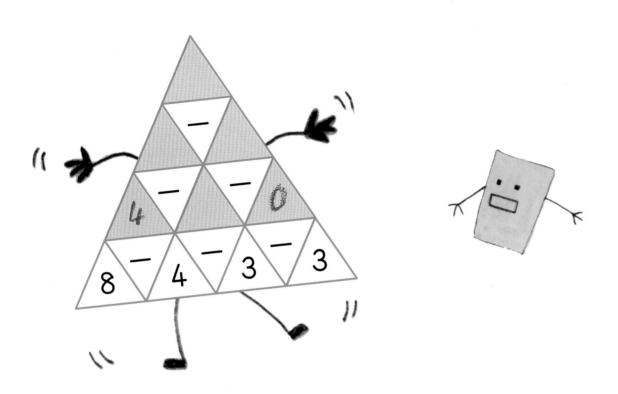

😀 규칙을 찾아 ▨ 안에 알맞은 수를 써넣으시오.

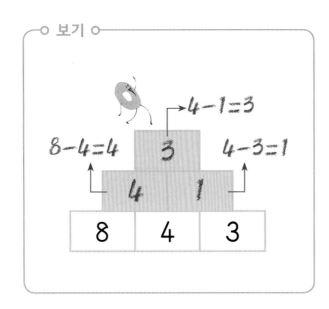

○ 보기 ○

8−4=4   4−1=3   4−3=1

| 8 | 4 | 3 |

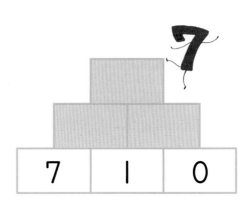

7

| 7 | 1 | 0 |

3

| 6 | 3 | 0 |

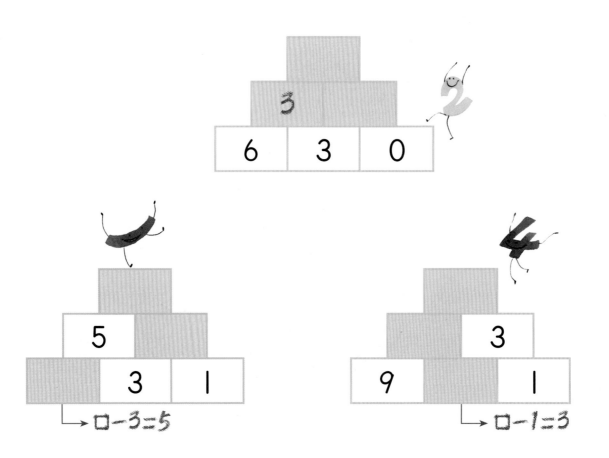

5

| 3 | 1 |

□−3=5

3

| 9 | | 1 |

□−1=3

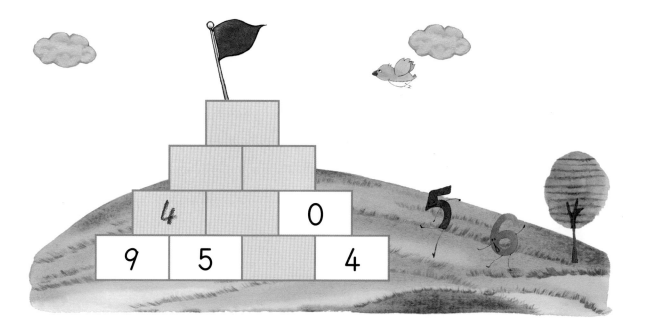

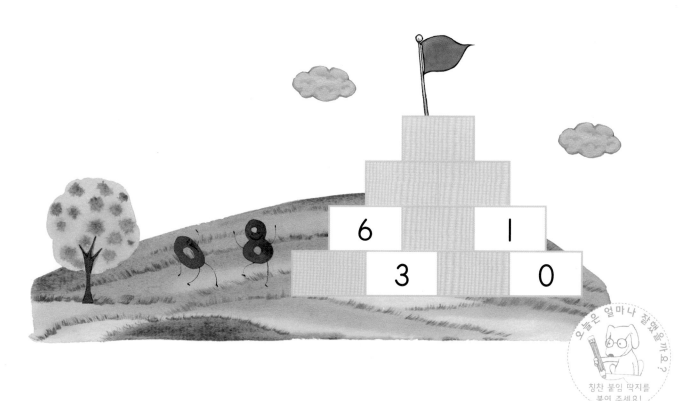

성냥개비 셈

❧ 뺄셈을 하여 알맞은 성냥개비 수를 써넣으시오.

🖨 온라인 활동지

○ 보기 ○

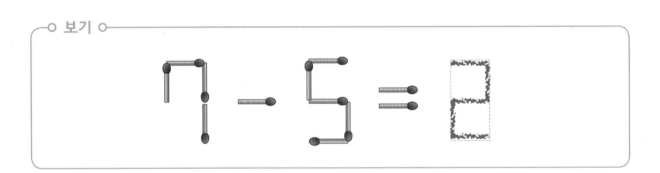

$$7 - 5 = 2$$

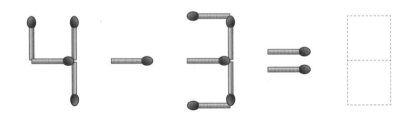

$$4 - 3 = \square$$

$$8 - 4 = \square$$

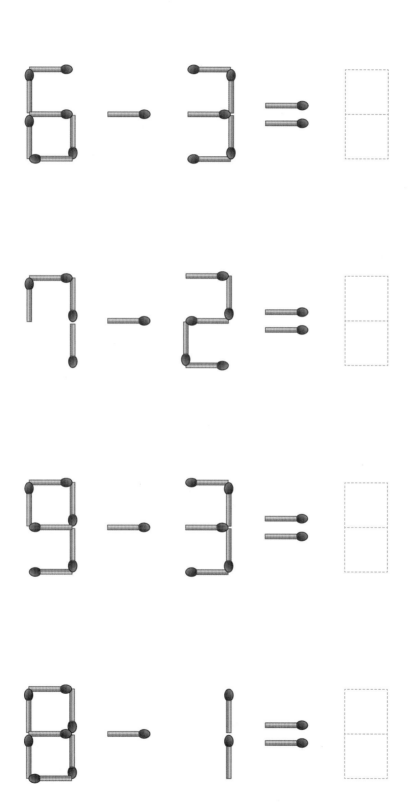

안에서 성냥개비 **1개를 더해야** 할 곳을 찾아 표시하고, 올바른 식을 쓰시오.

온라인 활동지

○ 보기 ○

6 - 2 = 6 ▶ 8 - 2 = 6

식 ➡ 8 - 2 = 6

7 - 1 = 5

식 ➡ _____

9 - 0 = 3

식 ➡ _____

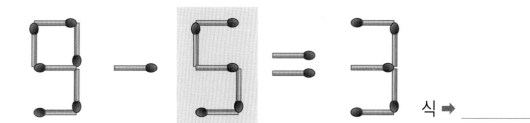

식 ➡ _____

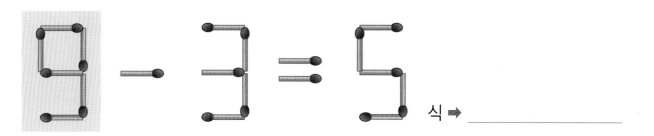

식 ➡ _____

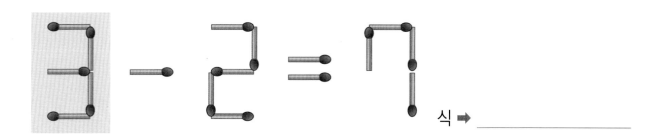

식 ➡ _____

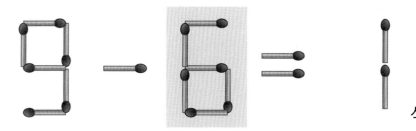

식 ➡ _____

학습관리표

일 자			소요 시간	틀린 문항 수	확인
❶ 일차	월	일	:		
❷ 일차	월	일	:		
❸ 일차	월	일	:		
❹ 일차	월	일	:		
❺ 일차	월	일	:		

4주

도미노 가르기

🌷 숫자 카드를 사용하여 수 가르기를 해 보시오.

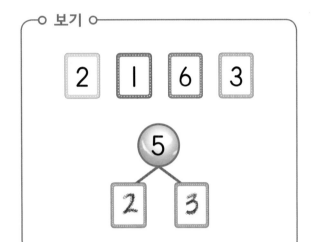

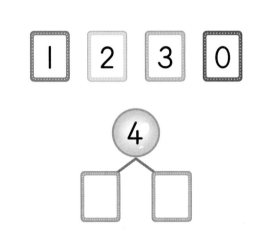

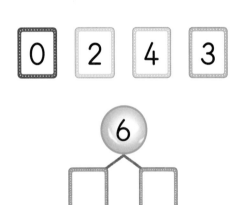

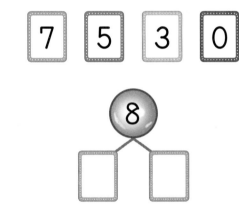

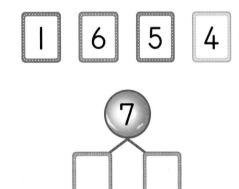

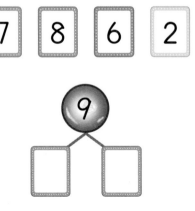

수 가르기를 하여 ◯ 안에 알맞은 수를 써넣으시오.

보기
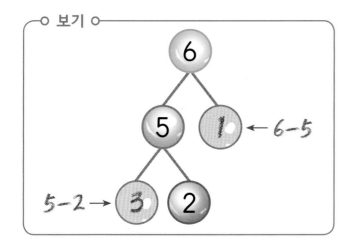

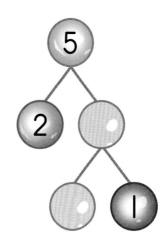

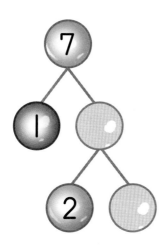

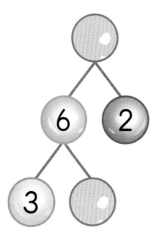

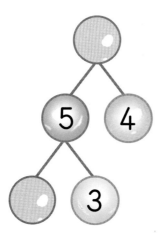

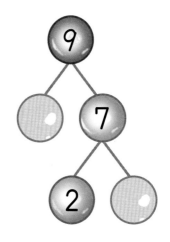

온라인 활동지

😮 올바른 가르기가 되도록 도미노의 눈을 그려 넣으시오.

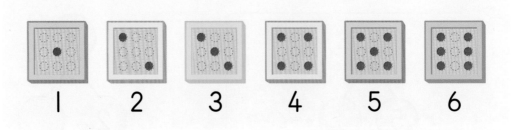

보기

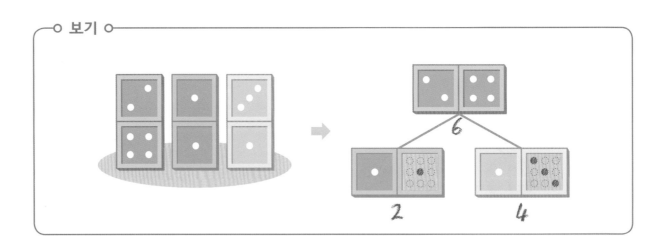

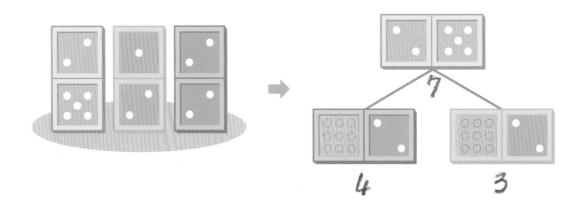

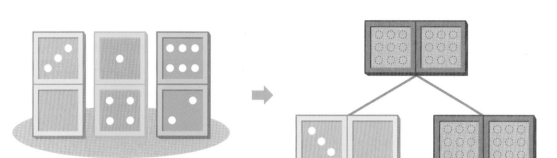

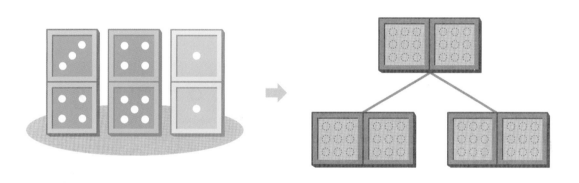

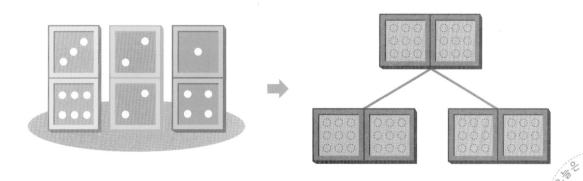

조건에 맞는 수 만들기

🌷 숫자 카드를 모두 사용하여 주어진 수를 만들어 보시오.

온라인 활동지

| 5 | 7 | 2 | 6 |

$7 - 5 = 2$

$\square - \square = 4$

| 3 | 1 | 6 | 7 |

$\square - \square = 3$

$\square - \square = 6$

| 2 | 8 | 4 |
| 1 | 3 | 9 |

$\square - \square = 2$

$\square - \square = 5$

$\square - \square = 8$

| 9 | 3 | 8 |
| 2 | 0 | 7 |

$\square - \square = 4$

$\square - \square = 6$

$\square - \square = 9$

주어진 계산기의 버튼을 알맞은 순서로 눌러 계산 결과가 나오도록 하시오.

보기

누르는 순서

$8 - 1 =$

누르는 순서

_____

누르는 순서

_____

누르는 순서

_____

4
P03

👤 숫자 카드를 이용하여 뺄셈한 결과가 **가장 크게**, **가장 작게** 되도록 만드시오.

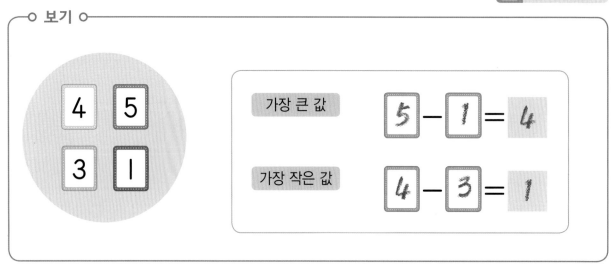

┌─○ 보기 ○─────────────────────────────────────┐

4 5
3 1

가장 큰 값 $5 - 1 = 4$

가장 작은 값 $4 - 3 = 1$

└──┘

1 6
2 7

가장 큰 값 $7 - 1 = $ ☐

가장 작은 값 $7 - $ ☐ $= $ ☐

4 7
1 9

가장 큰 값 $9 - $ ☐ $= $ ☐

가장 작은 값   ☐ $- $ ☐ $= $ ☐

7   0
4   6

가장 큰 값   ☐ − ☐ =

가장 작은 값   ☐ − ☐ =

0   9
3   5

가장 큰 값   ☐ − ☐ =

가장 작은 값   ☐ − ☐ =

8   2
4   8

가장 큰 값   ☐ − ☐ =

가장 작은 값   ☐ − ☐ =

3 일차

뺄셈표

🌷 가로, 세로에 쓰여 있는 수를 빼어 빈칸을 채우시오.

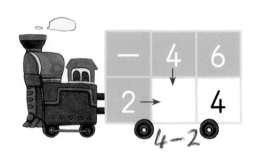

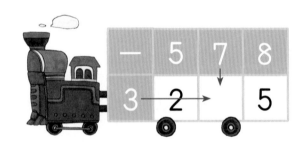

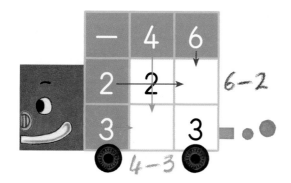

−	4	6
2	2	6−2
3		3

4−3

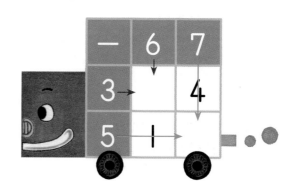

−	6	7
3		4
5	1	

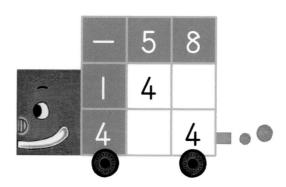

−	5	8
1	4	
4		4

4

P03

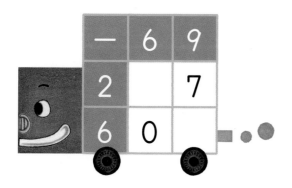

−	6	9
2		7
6	0	

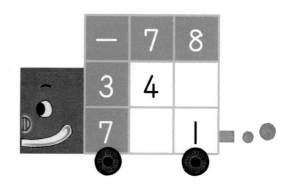

−	7	8
3	4	
7		1

숫자 카드를 한 번씩만 사용하여 퍼즐을 완성하시오.

 온라인 활동지

보기

| 2 | 4 | 8 | 1 |

$7 - 2 = 5$
$\quad\quad\quad\quad |$
$\quad\quad\quad\quad 1$
$\quad\quad\quad\quad =$
$8 - 4 = 4$

| 6 | 5 | 2 | 4 |

$7 - 1 = \square$
$\quad |\quad\quad\quad |$
$\quad \square\quad\quad\quad \square$
$\quad ||\quad\quad\quad ||$
$5 - \square = 1$

| 2 | 1 | 3 | 4 |

$8 - \square = 6$
$\quad |\quad\quad\quad |$
$\quad 4\quad\quad\quad \square$
$\quad ||\quad\quad\quad ||$
$\square - \square = 3$

| 7 | 3 | 5 | 4 |

$9 - 2 = \square$
$\quad |\quad\quad\quad |$
$\quad \square\quad\quad\quad \square$
$\quad ||\quad\quad\quad ||$
$5 - \square = 2$

| 2 | 7 | 8 | 4 |

□ − □ = 6

|

1

=

□ − 3 = □

| 2 | 9 | 3 | 4 |

□ − 7 = □

|

□

=

6 − □ = 2

| 3 | 7 | 5 | 9 |

□ − 1 = 8

|

□

=

□ − 4 = □

오늘은 얼마나 잘했을까요?
칭찬 붙임 딱지를
붙여 주세요!

성냥개비 퍼즐

안에서 성냥개비 1개를 **빼야** 할 곳을 찾아 ✕표 하고, 올바른 식을 쓰시오.

 온라인 활동지

○ 보기 ○

9 − 4 = 1 ➡ 9 − 4 = 1

식 ➡ 5 − 4 = 1

---

9 − 4 = 6

식 ➡ _____

8 − 5 = 9

식 ➡ _____

식 ➡ _____

식 ➡ _____

4
P03

식 ➡ _____

식 ➡ _____

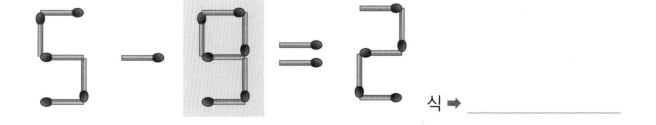

식 ➡ _____

👥 ▨ 안에서 성냥개비 **1개를 옮겨야** 할 곳을 찾아 표시하고, 올바른 식을 쓰시오.

🖨 온라인 활동지

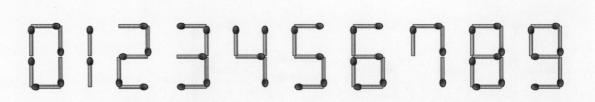

○ 보기 ○

7 - 3 = 5 ➤ 7 - 2 = 5

식 ➤ 7 - 2 = 5

4 - 1 = 2

식 ➤ _____

9 - 3 = 0

식 ➤ _____

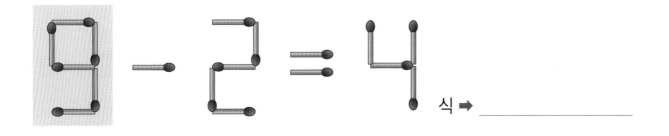

식 ➡ _____

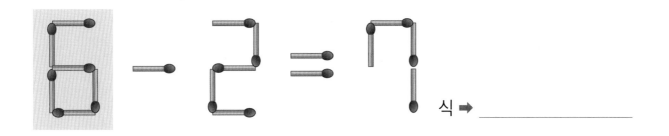

식 ➡ _____

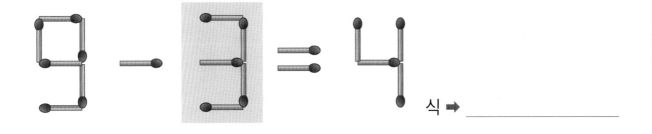

식 ➡ _____

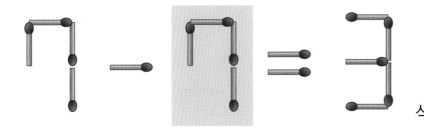

식 ➡ _____

오늘은 얼마나 잘했을까요?
칭찬 붙임 딱지를
붙여 주세요!

5
일차

동물이 나타내는 수

🌷 동물이 나타내는 수를 찾아 ▨ 안에 써넣으시오.

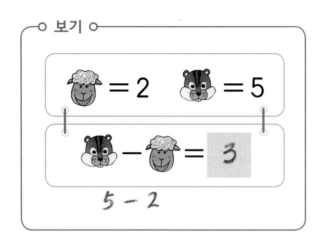

○ 보기 ○

🐑 = 2   🐿 = 5

🐿 − 🐑 = **3**

5 − 2

🐰 = 8   🐵 = 3

🐰 − 🐵 = ▨

🐷 = 4   🦒 = 6

🦒 − 🐷 = ▨

🐿 = 7   🐑 = 1

🐿 − 🐑 = ▨

🐰 = 5   🐵 = 9

🐵 − 🐰 = ▨

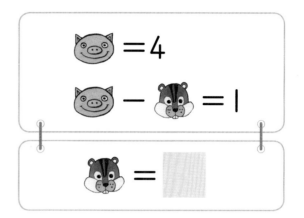

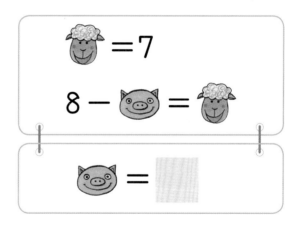

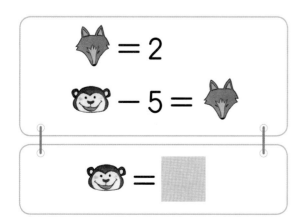

⚇ 동물 안에 들어갈 수 있는 수를 모두 찾아 ◯표 하시오.

─○ 보기 ○─

$5 - 🐑 < 3$

$5 - 5 = 0$
$5 - 4 = 1$
$5 - 3 = 2$

➡

0	1	2	③	④
⑤	6	7	8	9

$6 - 🦊 < 4$ ➡

0	1	2	3	4
5	6	7	8	9

$6 - 🐿 < 3$ ➡

0	1	2	3	4
5	6	7	8	9

$9 - 🐷 < 2$ ➡

0	1	2	3	4
5	6	7	8	9

🐷 ─ 3 < 2 ➡

0	1	2	3	4
5	6	7	8	9

🐿 ─ 2 < 4 ➡

0	1	2	3	4
5	6	7	8	9

🦊 ─ 5 < 3 ➡

0	1	2	3	4
5	6	7	8	9

🐑 ─ 6 < 5 ➡

0	1	2	3	4
5	6	7	8	9

4

P03

memo

P03
정답

1주 1일차 수 가르기

스토리텔링

땅 속으로 길게 뻗은 길을 따라 개미들이 줄줄이 지나가고 있네요. 제일 앞에 가는 개미는 자기 몸집만한 먹이를 등에 메고 신나게 집으로 향하고 있어요. 조금만 더 힘을 내면 집이에요. 집에 도착한 개미는 각각 몇 마리일까요?

학습가이드

1부터 5까지의 수에 대한 가르기를 학습하는 과정으로 뺄셈의 중요한 기초 과정입니다. PO2권에서 배운 수 모으기와 밀접한 관계가 있으므로 충분히 수 모으기와 연결지어 수 가르기를 연습해 주세요. 아이들이 어려할 경우 바둑알, 과일 등과 같은 구체물을 이용하여 수 가르기의 개념을 심어 주세요.

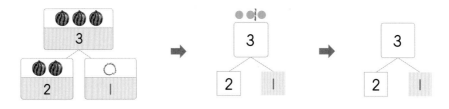

P 08 ~ 09

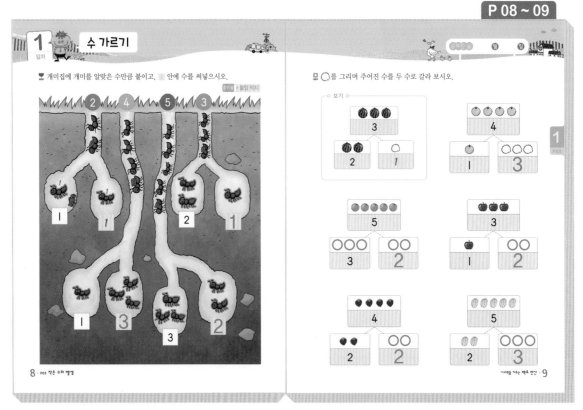

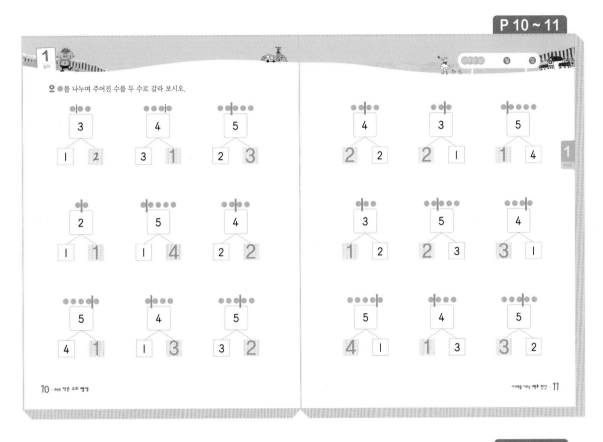

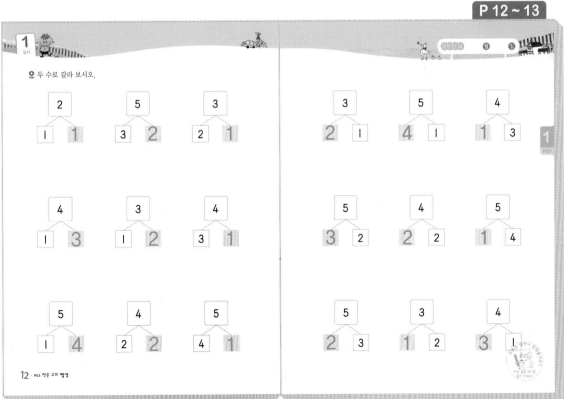

스토리텔링

숲 속에 가을이 가고 겨울이 오려나 봐요. 나무에는 잎이 몇 개 남지 않는데 그마저도 바람이 불어 떨어지려고 하네요. 날씨가 추워져서인지 토끼 몇 마리는 깡총 뛰어 집으로 들어가 버리고, 물 속의 오리들도 힘차게 날개짓을 하며 집으로 돌아가려 하네요. 숲 속에 아직 남아 있는 나뭇잎과 동물은 각각 얼마나 될까요?

학습가이드

1일차에서 배운 수 가르기를 이용하여 5이하의 수 범위에서 빼셈식을 익히는 과정입니다.
'−'기호가 처음 나오므로 덧셈을 처음 배울 때와 같이 수 가르기 모형을 연상하여 자연스럽게 이해할 수 있도록 지도해 주세요.

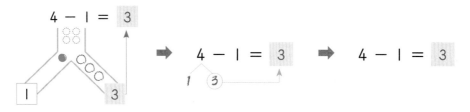

P 14 ~ 15

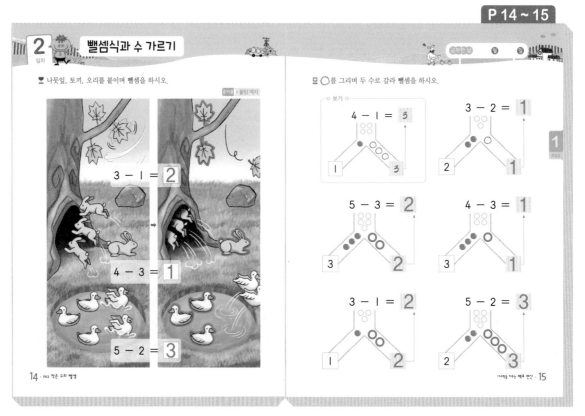

2 일차

○ 앞의 수를 갈라 뺄셈을 하시오.

$4 - 3 = 1$
3 1

$3 - 1 = 2$
1 2

$2 - 1 = 1$
1 1

$5 - 3 = 2$
3 2

$2 - 1 = 1$
1 1

$5 - 2 = 3$
2 3

$5 - 4 = 1$
4 1

$4 - 1 = 3$
1 3

$5 - 4 = 1$
4 1

$4 - 2 = 2$
2 2

$4 - 3 = 1$
3 1

$5 - 2 = 3$
2 3

$3 - 2 = 1$
2 1

$4 - 1 = 3$
1 3

$5 - 1 = 4$
1 4

$3 - 2 = 1$
2 1

$5 - 3 = 2$
3 2

$5 - 1 = 4$
1 4

$4 - 2 = 2$
2 2

$3 - 1 = 2$
1 2

16 · P03 작은 수의 뺄셈

사고력을 키우는 팩토 연산 · 17

1
P03

2 일차

○ 뺄셈을 하시오.

$3 - 1 = 2$ $4 - 3 = 1$ $2 - 1 = 1$ $5 - 3 = 2$

$5 - 2 = 3$ $2 - 1 = 1$ $3 - 1 = 2$ $4 - 3 = 1$

$4 - 1 = 3$ $5 - 2 = 3$ $5 - 4 = 1$ $4 - 1 = 3$

$3 - 2 = 1$ $4 - 2 = 2$ $3 - 2 = 1$ $5 - 2 = 3$

$4 - 3 = 1$ $5 - 3 = 2$ $5 - 1 = 4$ $4 - 3 = 1$

$5 - 1 = 4$ $5 - 4 = 1$ $4 - 2 = 2$ $5 - 4 = 1$

18 · P03 작은 수의 뺄셈

1
P03

사고력을 키우는 **팩토 연산** · 113

1주 3일차 5 이하의 수에서 빼기

스토리텔링

동물 친구들이 맛있는 먹이를 앞에 두고 입맛을 다시고 있어요. 이제 막 식사를 하려나 봐요. 고양이에게는 등 푸른 생선이, 강아지에게는 푸른색 사과가 주어졌어요. 뚱보같이 한번에 모두 먹으려는 것은 아니겠지요? 동물들이 먹고 남은 음식을 세어 보세요.

학습가이드

5까지의 수 범위에서 뺄셈을 학습하는 과정입니다. 아이들이 처음 뺄셈을 할 때 보통 손가락을 하나씩 접는 방법을 사용합니다. 이와 같이 여기서도 구체물을 지우는 방법으로 뺄셈을 익힙니다. 또한 주어진 수만큼 구체물과 반구체물을 지워서 빼는 연습을 하다가 식을 보고 머릿속으로 지우는 과정을 떠올리며 뺄셈을 할 수 있도록 지도해 주세요.

$$3 - 2 = 1 \quad\Rightarrow\quad 3 - 2 = 1 \quad\Rightarrow\quad 3 - 2 = 1$$

P 20 ~ 21

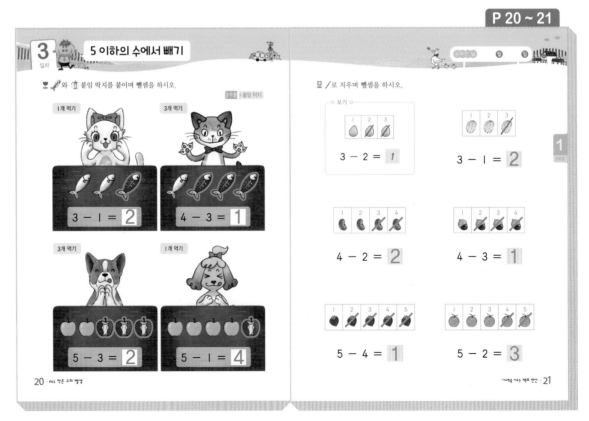

3 일차

오 ●를 지우며 뺄셈을 하시오.

$4 - 1 = 3$

$5 - 3 = 2$

$3 - 1 = 2$

$5 - 2 = 3$

$3 - 1 = 2$

$4 - 2 = 2$

$4 - 2 = 2$

$2 - 1 = 1$

$5 - 2 = 3$

$2 - 1 = 1$

$4 - 1 = 3$

$3 - 2 = 1$

$4 - 3 = 1$

$5 - 4 = 1$

$5 - 3 = 2$

$5 - 1 = 4$

$5 - 1 = 4$

$5 - 3 = 2$

$4 - 3 = 1$

$5 - 4 = 1$

3 일차

오 뺄셈을 하시오.

$4 - 2 = 2$

$2 - 1 = 1$

$4 - 1 = 3$

$3 - 2 = 1$

$3 - 1 = 2$

$5 - 3 = 2$

$5 - 3 = 2$

$4 - 3 = 1$

$3 - 2 = 1$

$4 - 1 = 3$

$2 - 1 = 1$

$5 - 1 = 4$

$5 - 2 = 3$

$5 - 1 = 4$

$5 - 4 = 1$

$5 - 2 = 3$

$4 - 3 = 1$

$5 - 2 = 3$

$3 - 1 = 2$

$4 - 1 = 3$

$5 - 4 = 1$

$4 - 2 = 2$

$4 - 2 = 2$

$5 - 3 = 2$

스토리텔링

농부 아저씨가 정성껏 만든 밭을 그만 두더지들이 망쳐 놓고 말았어요. 농부 아저씨가 한 손에 막대기를 들고 다른 한 손에는 강아지 2마리를 앞세우고 나타났어요. 이 와중에 잡히면 어쩌려고 자고 있는 두더지도 있네요. 놀라 도망간 두더지를 빼고 나면 밭에는 두더지 몇 마리가 남아 있을까요?

학습가이드

3일차에 이어 수의 범위를 9까지 확장하여 지워서 뺄셈(제거)을 학습하는 과정입니다. 지워서 빼기는 8-1, 8-2, 8-3과 같이 빼는 수가 작을 때 사용하는 효율적인 뺄셈 방법입니다. 머릿속으로 계란판 모형을 떠올리며 뺄셈을 연습해 주세요.

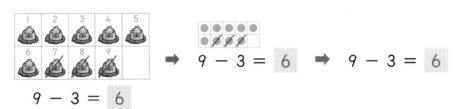

P 26 ~ 27

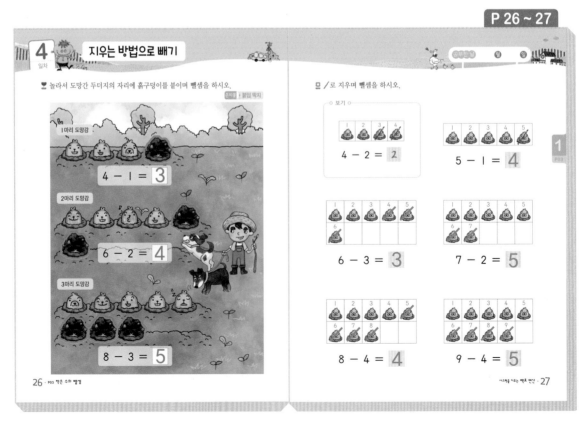

4 일차

○ ●를 지우며 뺄셈을 하시오.

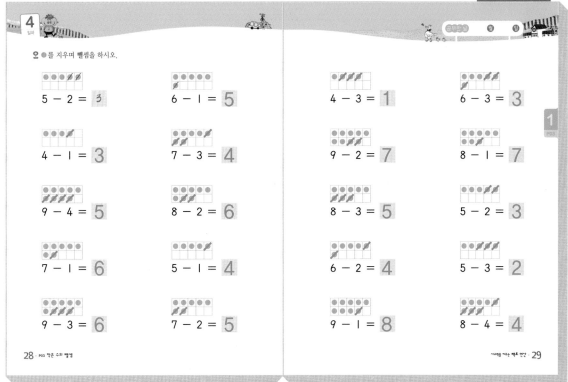

$5 - 2 = 3$

$6 - 1 = 5$

$4 - 3 = 1$

$6 - 3 = 3$

$4 - 1 = 3$

$7 - 3 = 4$

$9 - 2 = 7$

$8 - 1 = 7$

$9 - 4 = 5$

$8 - 2 = 6$

$8 - 3 = 5$

$5 - 2 = 3$

$7 - 1 = 6$

$5 - 1 = 4$

$6 - 2 = 4$

$5 - 3 = 2$

$9 - 3 = 6$

$7 - 2 = 5$

$9 - 1 = 8$

$8 - 4 = 4$

4 일차

○ 뺄셈을 하시오.

$3 - 1 = 2$

$4 - 3 = 1$

$7 - 2 = 5$

$8 - 4 = 4$

$7 - 3 = 4$

$6 - 1 = 5$

$6 - 1 = 5$

$3 - 2 = 1$

$8 - 2 = 6$

$9 - 3 = 6$

$5 - 2 = 3$

$7 - 1 = 6$

$5 - 3 = 2$

$8 - 1 = 7$

$6 - 2 = 4$

$8 - 3 = 5$

$9 - 2 = 7$

$6 - 3 = 3$

$9 - 3 = 6$

$4 - 1 = 3$

$8 - 4 = 4$

$9 - 1 = 8$

$8 - 2 = 6$

$9 - 4 = 5$

스토리텔링

아이들이 운동장에서 구슬치기 놀이를 하고 있네요. 구슬을 던져서 땅에 그려진 세모 모양에 넣는 게임인가 봐요. 아이들 옆에는 빨간색, 파란색, 초록색 구슬이 담긴 구슬 상자가 보이네요. 어느 친구의 상자 안에 들어 있는 구슬이 가장 많을까요?

학습가이드

4일차에서 뺄셈을 지우는 방법(제거)으로 했다면 여기서는 두 수의 크기를 비교하여 빼는 방법을 학습합니다. 8-7, 8-6, 8-5와 같이 크기가 비슷한 두 수의 뺄셈에서는 수를 지워서 빼는 방법보다 두 수의 크기를 비교하여 계산하는 것이 더 쉽다는 것을 스스로 느끼게 해 주세요.

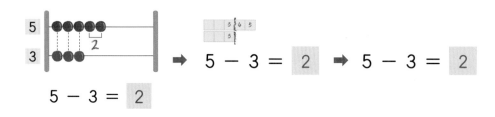

P 32 ~ 33

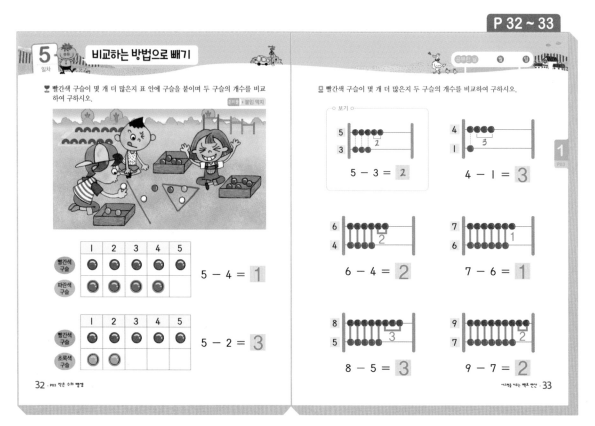

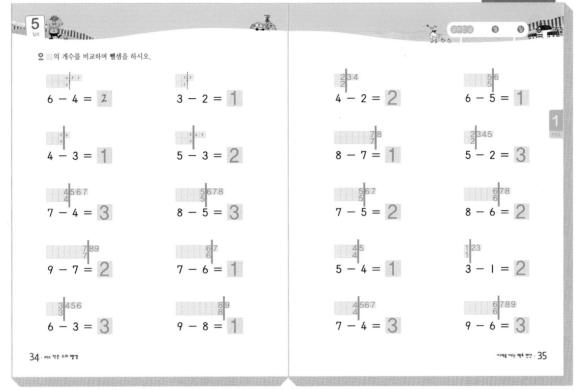

5
일차

오 ▨ 의 개수를 비교하며 뺄셈을 하시오.

6 − 4 = 2   3 − 2 = 1   4 − 2 = 2   6 − 5 = 1

4 − 3 = 1   5 − 3 = 2   8 − 7 = 1   5 − 2 = 3

7 − 4 = 3   8 − 5 = 3   7 − 5 = 2   8 − 6 = 2

9 − 7 = 2   7 − 6 = 1   5 − 4 = 1   3 − 1 = 2

6 − 3 = 3   9 − 8 = 1   7 − 4 = 3   9 − 6 = 3

34 · P03 작은 수의 뺄셈   사고력을 키우는 팩토 연산 · 35

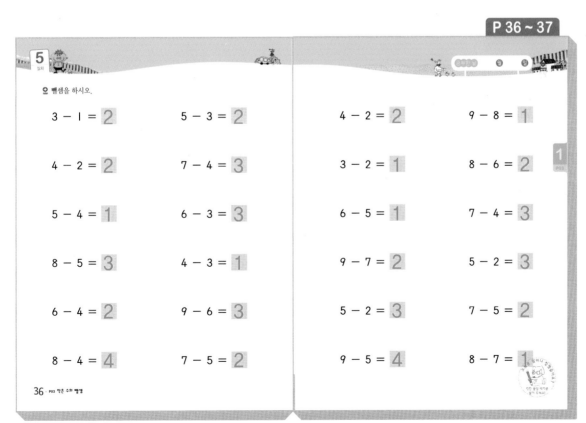

5
일차

오 뺄셈을 하시오.

3 − 1 = 2   5 − 3 = 2   4 − 2 = 2   9 − 8 = 1

4 − 2 = 2   7 − 4 = 3   3 − 2 = 1   8 − 6 = 2

5 − 4 = 1   6 − 3 = 3   6 − 5 = 1   7 − 4 = 3

8 − 5 = 3   4 − 3 = 1   9 − 7 = 2   5 − 2 = 3

6 − 4 = 2   9 − 6 = 3   5 − 2 = 3   7 − 5 = 2

8 − 4 = 4   7 − 5 = 2   9 − 5 = 4   8 − 7 = 1

36 · P03 작은 수의 뺄셈

P 38 ~ 39

작은 수의 뺄셈 　**연산 실력 체크**　정답 수 　/ 40개
날짜 　월 　일

2~4주 사고력 연산을 학습하기 전에 기본 연산 실력을 점검해 보세요.

1. $2 - 1 = 1$
2. $7 - 5 = 2$
3. $6 - 2 = 4$
4. $4 - 3 = 1$
5. $9 - 1 = 8$
6. $8 - 4 = 4$

7. $6 - 5 = 1$
8. $9 - 2 = 7$
9. $7 - 1 = 6$
10. $5 - 3 = 2$
11. $8 - 2 = 6$
12. $9 - 6 = 3$

13. $4 - 2 = 2$
14. $8 - 7 = 1$
15. $5 - 3 = 2$
16. $3 - 2 = 1$
17. $7 - 3 = 4$
18. $6 - 4 = 2$

19. $8 - 5 = 3$
20. $7 - 6 = 1$
21. $8 - 3 = 5$
22. $5 - 2 = 3$
23. $6 - 3 = 3$
24. $9 - 4 = 5$

연산 실력 체크

P 40 ~ 41

작은 수의 뺄셈

25. $7 - 2 = 5$
26. $8 - 1 = 7$
27. $3 - 2 = 1$
28. $9 - 8 = 1$
29. $6 - 1 = 5$
30. $5 - 4 = 1$

31. $9 - 5 = 4$
32. $3 - 1 = 2$
33. $6 - 3 = 3$
34. $8 - 6 = 2$
35. $7 - 4 = 3$
36. $4 - 1 = 3$

37. $5 - 1 = 4$
38. $9 - 7 = 2$
39. $6 - 2 = 4$
40. $9 - 4 = 5$

연산 실력 분석

오답 수에 맞게 학습을 진행하시기 바랍니다.

평가	오답 수	학습 방법
최고예요	0 ~ 2개	전반적으로 학습 내용에 대해 정확히 이해하고 있으며 매우 우수합니다. 기본 연산 문제를 자신 있게 풀 수 있는 실력을 갖추었으므로 이제 사고력을 향상시킬 차례입니다. 2주차부터 차근차근 학습을 진행해 보세요. 학습 [2주차] → [3주차] → [4주차]
잘했어요	3 ~ 4개	기본 연산 문제를 전반적으로 잘 이해하고 풀었지만 약간의 실수가 있는 것 같습니다. 틀린 문제를 다시 한 번 풀어 보고, 문제를 차근차근 푸는 습관을 갖도록 노력해 보세요. 매스티안 홈페이지에서 제공하는 보충 학습으로 연산 실력을 향상시킨 후 2, 3, 4주차 학습을 진행해 주세요. 학습 [틀린 문제 복습] → [보충 학습] → [2주차]
노력해요	5개 이상	개념을 정확히 이해하고 있지 않아 연산을 하는데 어려움이 있습니다. 개념을 이해하고 연산 문제를 반복해서 연습해 보세요. 매스티안 홈페이지에서 제공하는 보충 학습이 연산 실력을 향상시키는데 도움이 될 것입니다. 여러분도 곧 연산왕이 될 수 있습니다. 조금만 힘을 내 주세요. 학습 [1주차 원리 중심 복습] → [보충 학습] → [2주차] → …

매스티안 홈페이지 : www.mathian.com

P 44 ~ 45

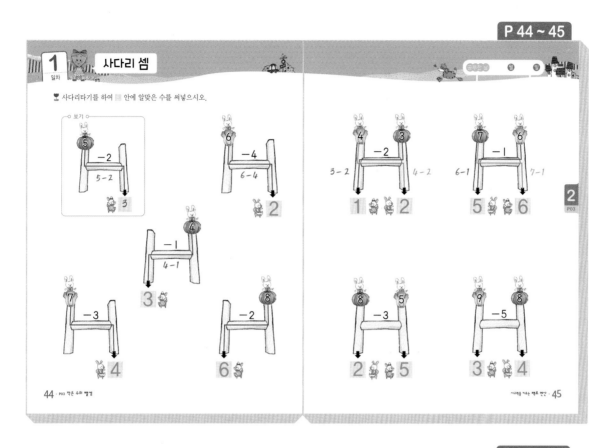

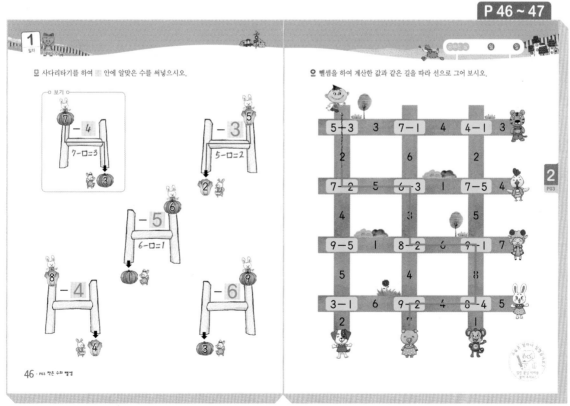

2일차 측정 셈

🏆 ▨ 안에 알맞은 수를 써넣으시오.

⚖ 양팔 저울이 수평을 이루도록 ▨ 안에 알맞은 수를 써넣으시오.

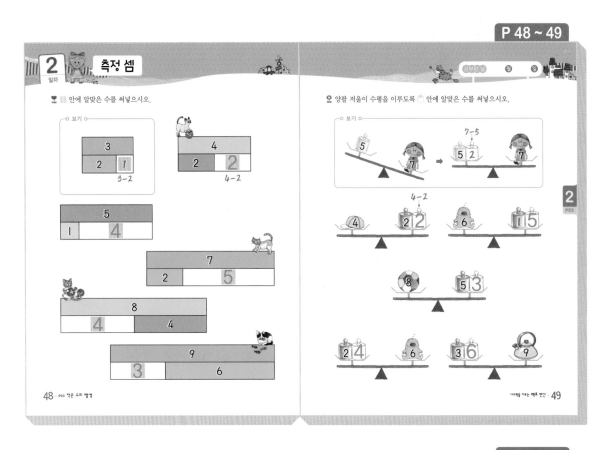

2일차

🐰 ▨ 안에 알맞은 수를 써넣으시오.

🐴 화살표를 따라 계산하고 계산한 값의 순서대로 점을 이어 보시오.

P 52 ~ 53

P 54 ~ 55

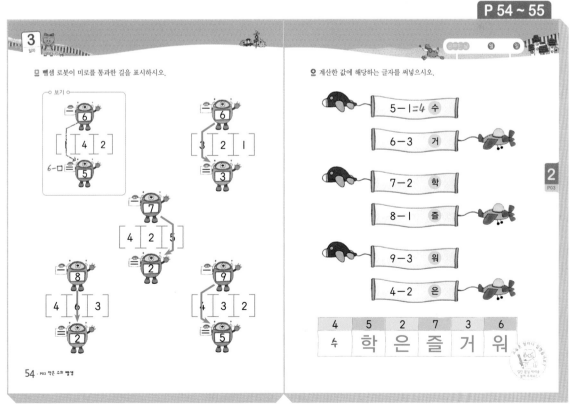

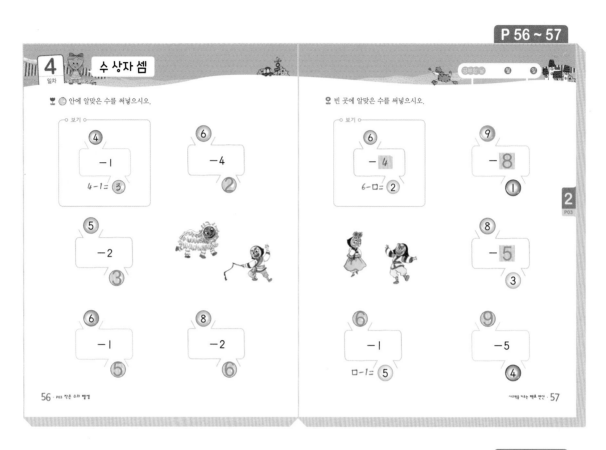

P 56 ~ 57

4 일차 수 상자 셈

○ 안에 알맞은 수를 써넣으시오.

보기
4 / −1 / 4−1= 3

6 / −4 / 2

5 / −2 / 3

6 / −1 / 5

8 / −2 / 6

빈 곳에 알맞은 수를 써넣으시오.

보기
6 / − 4 / 6−□= 2

9 / − 8 / 1

8 / − 5 / 3

6 / −1 / □−1= 5

9 / −5 / 4

56 · P03 작은 수의 뺄셈   사고력을 키우는 제표 연산 · 57

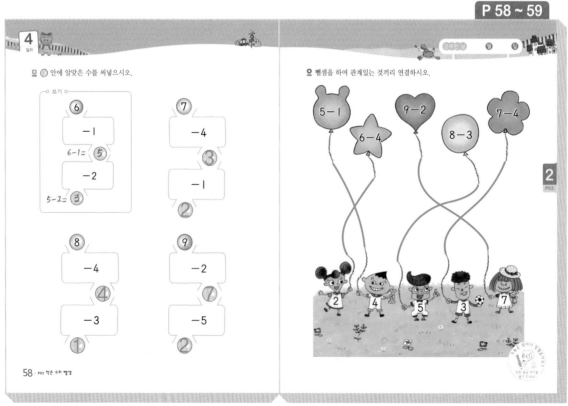

P 58 ~ 59

4 일차

○ 안에 알맞은 수를 써넣으시오.

보기
6 / −1 / 6−1= 5 / −2 / 5−2= 3

7 / −4 / 3 / −1 / 2

8 / −4 / 4 / −3 / 1

9 / −2 / 7 / −5 / 2

뺄셈을 하여 관계있는 것끼리 연결하시오.

5−1   9−2   7−4
6−4   8−3

2   4   5   3   7

58 · P03 작은 수의 뺄셈

P 60 ~ 61

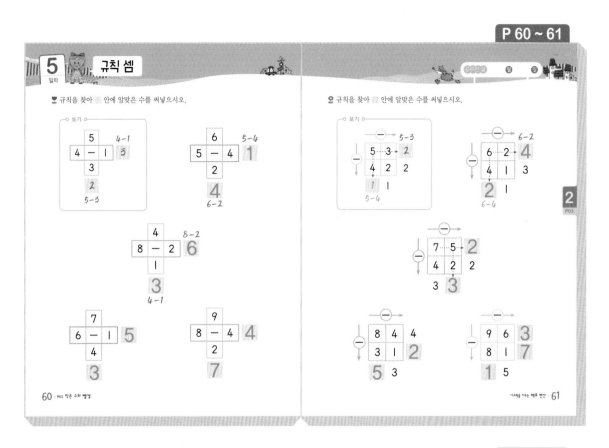

P 62 ~ 63

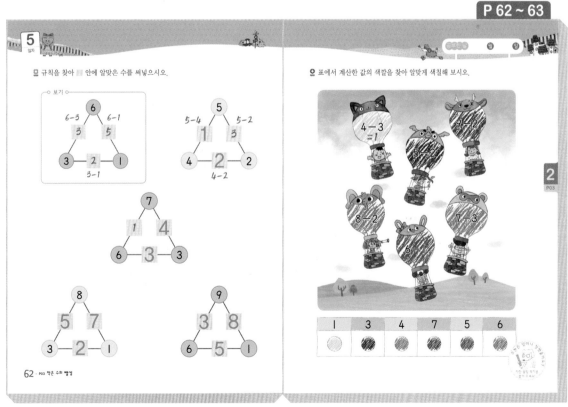

P 66 ~ 67

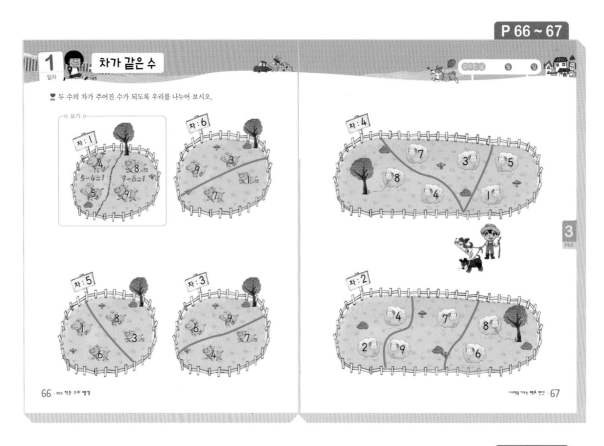

P 68 ~ 69

P 70 ~ 71

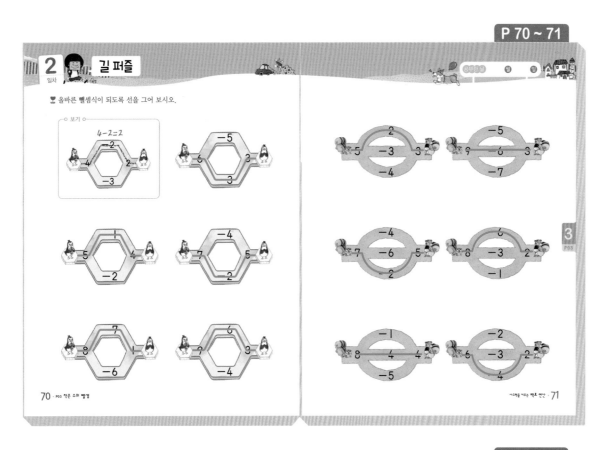

P 72 ~ 73

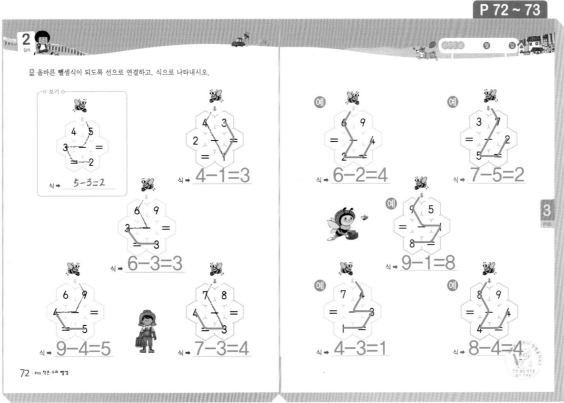

P 74 ~ 75

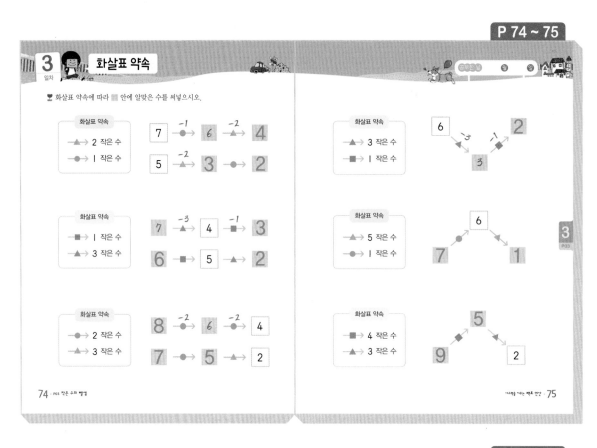

P 76 ~ 77

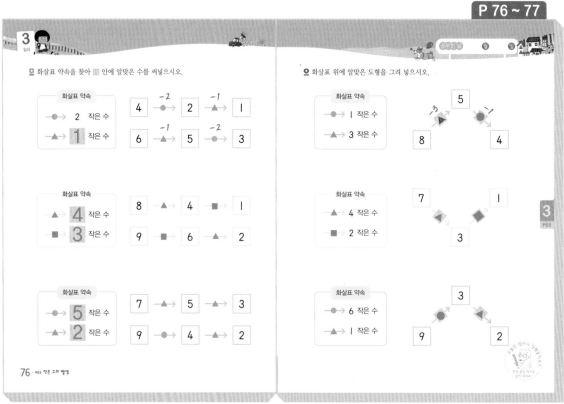

P 78 ~ 79

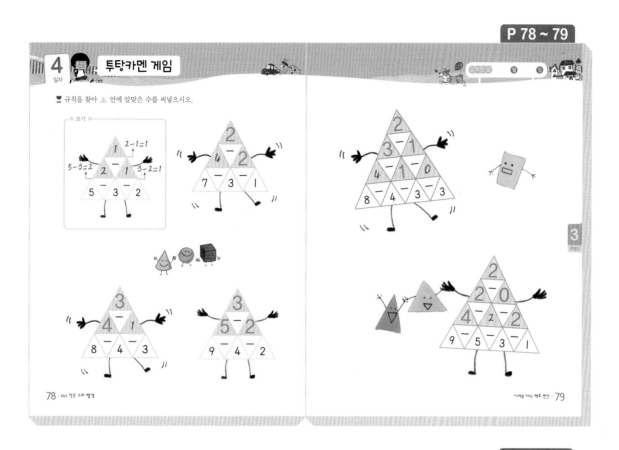

P 80 ~ 81

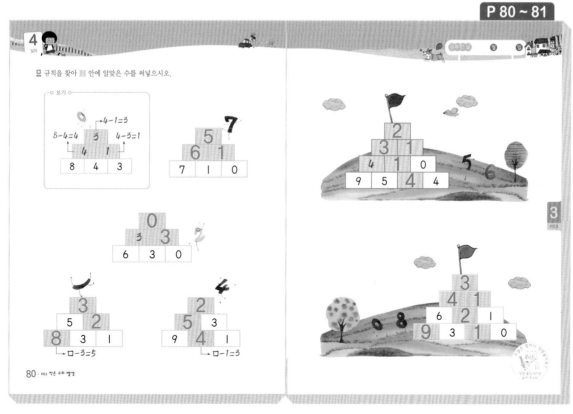

P 82 ~ 83

5일차 성냥개비 셈

♥ 뺄셈을 하여 알맞은 성냥개비 수를 써넣으시오.

온라인 활동지

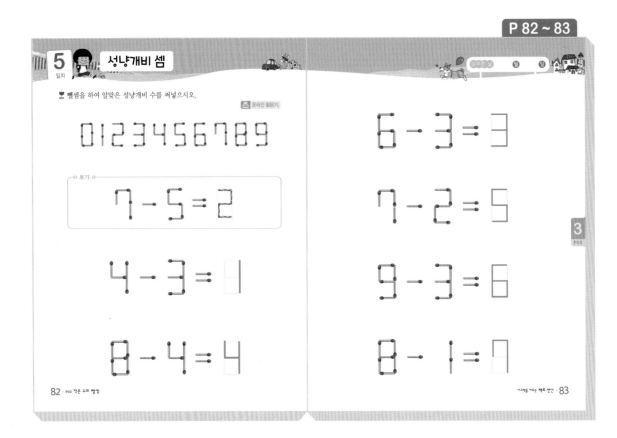

0123456789

보기
7 - 5 = 2

4 - 3 = 1

8 - 4 = 4

6 - 3 = 3

7 - 2 = 5

9 - 3 = 6

8 - 1 = 7

82 · P03 작은 수의 뺄셈

83

P 84 ~ 85

5일차

☐ 안에서 성냥개비 1개를 더해야 할 곳을 찾아 표시하고, 올바른 식을 쓰시오.

온라인 활동지

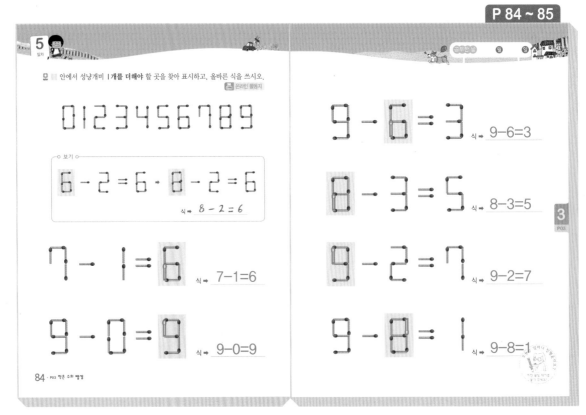

0123456789

보기
6 - 2 = 6 · 8 - 2 = 6
식 ➡ 8 - 2 = 6

7 - 1 = 6
식 ➡ 7−1=6

9 - 0 = 9
식 ➡ 9−0=9

9 - 6 = 3
식 ➡ 9−6=3

8 - 3 = 5
식 ➡ 8−3=5

9 - 2 = 7
식 ➡ 9−2=7

9 - 8 = 1
식 ➡ 9−8=1

84 · P03 작은 수의 뺄셈

P 88 ~ 89

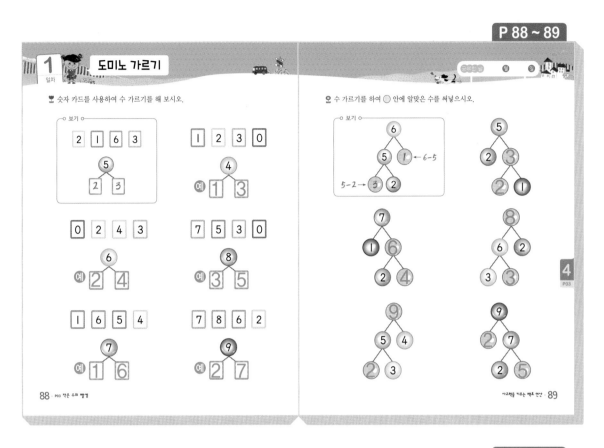

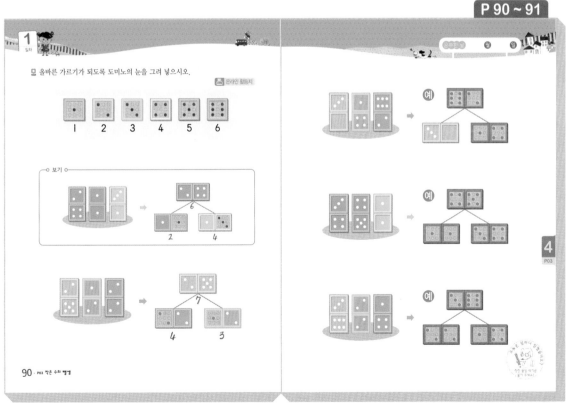

P 92 ~ 93

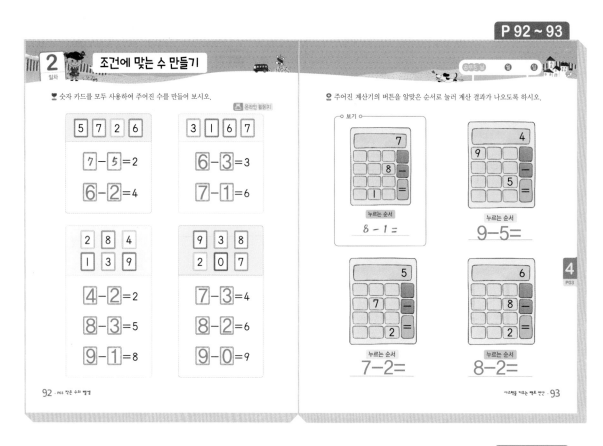

P 94 ~ 95

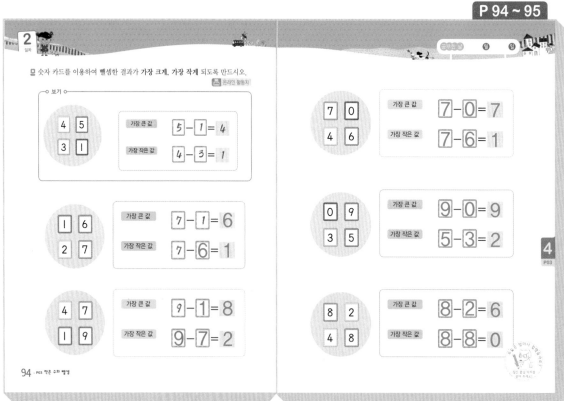

P 96 ~ 97

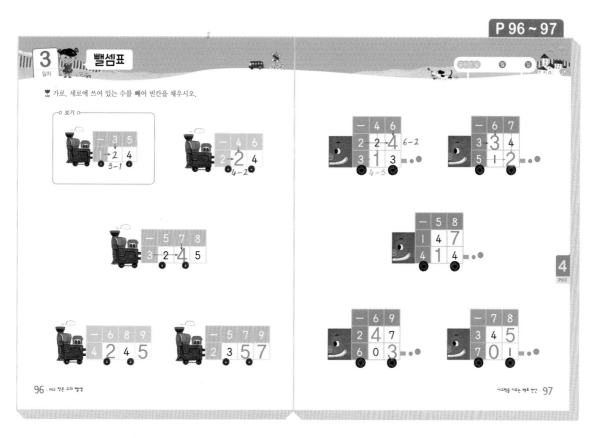

P 98 ~ 99

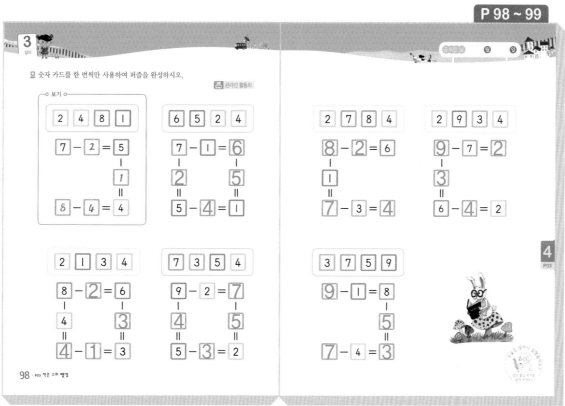

P 100 ~ 101

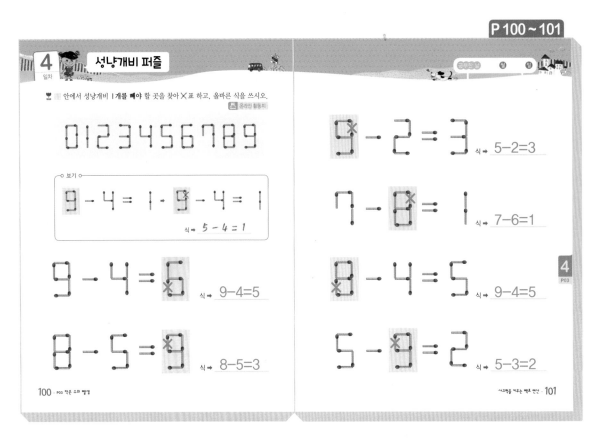

P 102 ~ 103

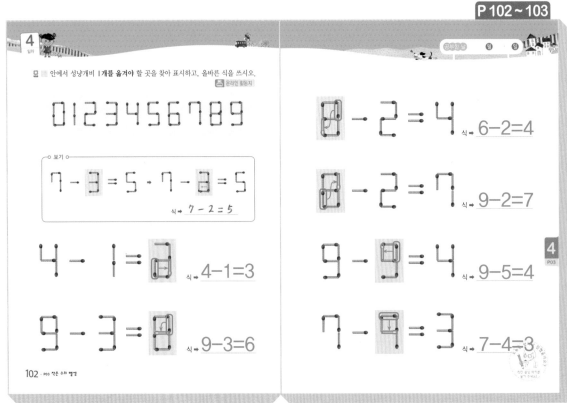

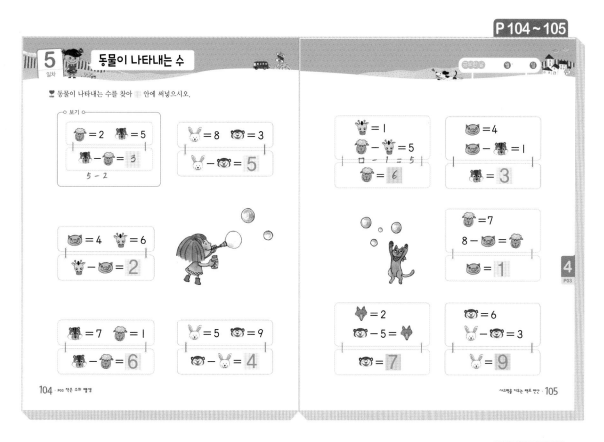

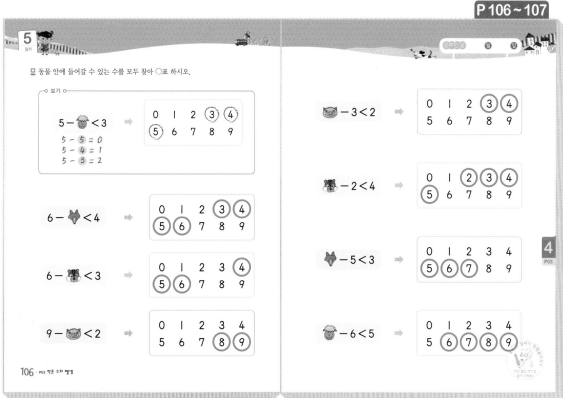

상 장

이 름 : _____

위 어린이는 **팩토 연산 P03권**을
창의적인 생각과 노력으로 성실히
잘 풀었으므로 이 상장을 드립니다.

20 년 월 일

매스티안